사로잡힌 돌

김영글

일러두기

— 부호는 다음 규칙을 따랐다.

『 』 책

《 》 잡지, 전시, 화집

〈 〉 영화, 연극, 미술, 시 등의 작품

「 」 논문, 평론

— 수록된 이미지의 정보와 제공처는 책의 마지막에 모았다.

목차

0. 뼈 6

1. 수집가의 말 10

2. 바위가 있는 곳 14

3. 전쟁바위 21

4. 말하는 돌 25

5. 그냥 돌멩이 30

6. 표면 여행 36

7. 돌이 떠 있는 동안 43

8. 꿈꾸는 돌 45

9. 주먹도끼 60

10. 닮은 돌 66

11. 얼굴 I 76

12. 얼굴 II 82

13. 얼굴 III 85

14. 얼굴 IV 88

15. 자라는 돌 117

16. 틈 128

17. 기억하는 돌 130

18. 자국 134

19. 바위섬 142

20. 받아쓰기 147

21. 둥근 것들 153

22. 보이는 것과 보이지 않는 것 160

이 책을 결코 읽지 못할 돌에게

0. 뼈

비로소 바다가 잠잠해졌다. 며칠 낮 며칠 밤이 지났는지 알 수 없었지만, 어느덧 비가 그쳤고 바깥에서는 아무런 소리도 들려오지 않았다. 여자와 남자는 배에서 내려 고요만이 남은 대지에 조심스레 발을 디뎠다. 세상은 텅 비어 있었다. 살아남았다는 사실에 안도하기에는 그들이 내던져진 허공이 너무 광활했다. 아무도 없고 아무것도 없는 세상에서 어떻게 살아가야 할지 알 수 없었다.

그들은 좌절감에 휩싸여 고개를 떨구었다. 둘만으로는 부족하다는 사실을, 제아무리 뜨겁게 사랑해도 둘만으로는 서로에게 충분치 않다는 사실을 그들은 알고 있었다. 여자와 남자는 조언을 구하기 위해 여신을 찾아갔다. 흰 천으로 두 눈을 가리고 있는 그 여신은 앞날을 내다보는 현명함으로 이름이 알려져 있었다.

여신은 친절하게 방법을 일러주었다.

나처럼 눈을 감고 걸어라.

감은 눈으로 보아라.

걸으면서 어머니의 뼈를 등 뒤로 던져라.

여자와 남자는 고개를 조아려 감사를 표하고 돌아왔지만, 여신의 말을 조금도 이해할 수 없었다. 무엇보다도, 어머니의 뼈를 던지라니. 도대체 그게 무슨 황당한 말일까?

여자가 갸웃거렸다.

당신의 어머니도 나의 어머니도 돌아가신 지 오래야. 어머니의 뼈를 구한다는 건 있을 수도 없는 일이야.

남자도 고개를 가로저었다.

그들은 단념하고 먹을 것을 구하러 돌아다니기로 했다. 맑게 씻긴 대기에 여과 없이 쏟아지는 햇살이 눈 부셨다. 새롭게 깨어난 땅은 맨발로 밟을 때마다 들릴 듯 말 듯 한 숨소리를 냈다.

여자가 문득 걸음을 멈추었다. 그 여신이 대지의 흙먼지로부터 태어난 딸이었다는 데에 생각이 미쳤다.

어머니는 혹시 대지의 다른 이름이 아닐까? 그렇다면 대지의 뼈, 땅의 근간이 되는 가장 단단한 것은 바로 돌이 아니던가?

여자와 남자는 옷자락 가득 돌을 주워 모았다.

여자가 눈을 감고 걸으며 등 뒤로 돌 하나를 던졌다. 돌은 땅에 떨어지기도 전에 사람이 되었다. 또 다른 여자의 형상이었다.

이번에는 남자가 눈을 감고 걸으며 등 뒤로 돌 하나를 던졌다. 돌은 또 하나의 남자가 되었다.

돌을 던질 때마다 세상을 이루는 크고 작은 사물의 형상이 생겨났다. 이렇게 해서 여자와 남자는 갖게 되었다. 이웃을, 친구를, 자식을, 사랑을, 꿈을, 예술을, 문명을, 적을, 죄악을, 전쟁을, 끝없이 되풀이되는 전설들을.

1. 수집가의 말

몸을 가진다는 것은 어떤 의미일까? 내가 동의하지 않는 말 중에 인생은 한 번뿐인 연극이라는 말이 있다. 삶을 하나의 단일한 덩어리로 본다면 그럴듯한 말이지만, 인간의 삶이란 그렇게 단순하지가 않다. 존재를 물질과 정신의 결합으로 보는 관점에서라면 더욱 그렇다. 무언가가 깃들어 있는 몸을 가진 이상, 우리는 육신의 안팎을 넘나들며 살 수밖에 없는 것이다. 시간은 매 순간 다른 존재로 다시 살기 위해 반복되는 순간의 연속이며, 존재란 수많은 시간대와 공간에 펼쳐진 파편들이 지금 잠시 종합된 것에 가깝다.

물론 관념적인 의미에서가 아니라 실제로 다시 태어나기도 한다. 나도 육신을 얻은 적이 여러 번 있다. 한번은 이름이 기억나지 않는 커다란 물짐승으로, 한번은 발톱이 날카로운 들고양이로 태어났고, 불행히도 이번처럼 사람이었던 적 또한 몇 차례 있었던 것 같다. 지나간 삶들이 다 기억나는 것은 아니지만, 겪어본 적도 없는 공간과 시간에 대해 어렴풋한 느낌이 남아 있다는 사실은 이번 생이 나의 유일한 경험이 아님을 알게 해 준다.

이러한 느낌은 좋은 예술 작품을 볼 때도 온다. 사람으로 태어나서 좋은 점을 말하라면, 몇 개 안 되기는 하지만 그나마 꼽아보자면, 그중 최고는 역시 예술에 대해서 말할 수 있다는 점이 아닐까 싶다. 어떤 사람들은 신을 놓고도 비슷한 말을 한다. 결국은 삶이 유한한 일회적 사건이라는 보편적 믿음 속에서, 영원히 지속될 무언가에 대해서 말하는 것만큼 인간의 흥미를 끄는 일은 없는 것이다. 우리의 삶은 연극이 끝난 뒤에도 끝나지 않는다. 세계의 무의식 안에서, 역사와 예술이라는 공동의 기억 수장고 안에서 삶은 계속된다.

이번 생에서 나는 수집가다. 무엇을 수집하냐면 돌의 이미지를 수집한다. 사진이 아니라 이미지라고 표현하는 것은, 나의 수집함에 담기는 것이 반드시 돌을 찍은 사진이기만 한 것은 아니고 때로는 돌을 소재나 주제로 삼고 있는 예술품, 때로는 소설이나 영화의 한 장면, 때로는 노랫말의 풍경, 또 가끔은 아직 무어라 설명할 수 없는 희미한 심상일 때도 있기 때문이다.

돌은 참 이상한 사물이다. 돌은 끊임없이 변화하는 몸을 가졌다. 돌은 텅 비어 있으면서도 가득 차 있다. 인간의 고귀함과 아름다움에 대해 말할 때 그 인간과 더불어 태어난 악한 본성을 함께 말할 수밖에 없는 것처럼, 빛과 어둠이 서로를 떼어놓고는 존재할 수 없는 것처럼, 돌의 충만한 상징성은 필연적으로 돌이라는 허무를 동반한다. 그토록 수많은 이름을 가졌건만 돌아서서 생각해 보면 돌은 돌의 모습을 한 물질에 불과하기 때문이다.

그러나 돌은 또 다른 돌로, 또 다른 사람과 시간과 공간으로 나를 이끈다. 나는 하나의 돌 앞에 선다. 이미지 수집가는 역사가가 과거의 사건들 앞에서 그러듯이 이미지의 파편들 앞에서 별자리를 찾는 사람이다. 별자리의 연결 속에서가 아니라면 빛은 찰나의 시각적 잔상에 불과하다.

요컨대, 수집의 기쁨은 돌의 헤아릴 수 없는 무수함에서 온다. 내가 모을 수 있는 돌은 그 가운데 극히 일부에 불과하겠지만 말이다. 만약 세상에 돌이 단 한 개밖에 없다면 그것은 엄청나게 값어치가 나가겠지만, 아무런 의미도 없는 사물일 것이 틀림없다.

2. 바위가 있는 곳

세상에는 인류의 지각과 감각을 확장한 세 개의 사과가 있다고들 한다. 이브의 사과, 뉴턴의 사과, 그리고 세잔의 사과다. 간혹 이 목록에다 스티브 잡스까지 추가하는 것이 현대인의 도리라고 주장하는 사람도 있다.

어쨌거나, 지금 얘기하려는 것은 세잔이다. 세잔은 사과를 비롯해 물병이나 바구니처럼 익숙한 사물들을 새로운 회화 원리로 그려 현대미술의 문을 열었다. 처음에는 야유받았지만 지금은 미술사의 한 페이지를 장식하게 된 유명한 정물화들에서, 세잔은

르네상스적 원근법의 고정된 시점을 파괴하고 시선이 닿는 곳에 따라 공간과 사물을 새롭게 재배열했다. 테이블 위 과일바구니와 물병 손잡이가 각기 다른 시점으로 그려진 그의 정물은 원근법에 길든 우리의 눈에 일견 기이해 보인다. 그러나 서 있을 때는 위에서 보고 앉았을 때는 정면에서 보는 다초점은 실제로 우리가 사물을 바라보는 방식이다.

내가 미술대학에 입학해서 처음 배운 것은 천천히 손을 그리는 법이었다. 선생님은 그림이 그려지고 있는 화지를 절대로 보지 말고 손만 집요하게 바라보면서, 지나칠 정도로 느린 속도로 손을 그려보라고 했다. 명암도 색깔도 넣지 말고 선으로 손의 외곽만 그려야 했다. 관습적 기법이 손에 밴 입시 미술의 흔적을 털어내도록 하려는 목적이었겠지만, 입시 미술 교육을 충분히 받지 않아 전통적인 데생에 익숙지 않았던 내게도 쉬운 도전은 아니었다.

처음에는 10분, 그다음에는 30분, 그다음에는 한 시간이 주어졌다. 연필 선으로 손 하나를 그릴 때 10분은 지나치게 긴 시간이다. 하물며 한 시간을 채우려면, 선을 긋는 시간보다 대상에 눈이 머무는 시간이 더 길어야 했다. 나는 손의 여기저기를 전에 없이 찬찬히 뜯어보면서 손가락들이 서로 다른 두께의 원기둥들이라는 사실을 파악하고, 손등에서 손목으로 이어지는 굴곡, 세밀한 주름과 솜털 따위가 어떻게 생겼는지를 관찰했다.

완성된 그림은 비례나 구도가 전혀 맞지 않아 괴물의 손처럼 울퉁불퉁하고 선도 삐뚤빼뚤해 그야말로 엉망진창이었지만, 그것은 내가 처음으로 '경험'해 본 내 손의 실체였다. 그때 나는 세잔의 그림을 아주 조금 이해할 수 있었던 것 같다.

말년의 세잔은 지질학자이자 박물학자인 친구 마리옹의 영향으로 대지의 질료와 생성 과정, 특히 바위라는 존재에 흥미를 느꼈다고 한다. 그는 세상을 고정된 실체로 파악하는 고전주의 화가들을 답습하고 싶지 않았지만, 지나치게 빛의 현상만 추구하다 사물의 형태를 잃어버린 인상주의 화가들에도 동의하지 않았다.

이 고집스러운 화가에게 회화의 진실은 원초적인 자연을 어떻게 구현할 것인가에 달려 있었다. 그가 대지의 기반인 바위와 그 바위에 내재된 지질학적 힘의 무한한 가능성에 관심을 가진 것은 자연스러운 과정이었을 것이다.

세잔은 자신의 고향에 있는 석회암 산인 생트빅투아르를 보며 깊은 감탄에 차 연작을 남겼고 그밖에도 채석장과 바위 그림을 여러 점 그렸다. 그중 유독 내 시선을 사로잡은 것은 이 그림이다.

작열하는 태양의 광선에 물든 오렌지빛 대지와 짙푸른 하늘의 강렬한 대비가 한여름의 침묵 속에 펼쳐져 있다. 제목은 붉은 바윈데, 흘깃 보면 어디에 있나 싶을 정도로 바위는 화면의 중심에서 밀려나 있다. 바위는 캔버스의 오른쪽 위에 대각선으로 걸쳐 일부만 모습을 드러내고 있는데, 단순한 직선으로 처리되어 바위처럼 보이지 않을 뿐 아니라 마치 사진을 찍을 때 실수로 프레임에 들어온 손이나 앞사람의 어깨처럼 우연히 그 자리에 있는 것처럼 보인다.

물론 스냅사진이 아닌 회화에서 우연한 포착이란 존재하지 않는다. 화가는 의도적으로 바위를 캔버스 외곽에 구성하면서 그의 눈앞에 펼쳐진 숲의 구도를 재배치했다. 허공으로 돌출된 바위는 대지와 마찬가지로 진한 오렌지빛을 띠고 있고, 그 육중함이 짐작되는 크기에도 불구하고 무게감이 거의 느껴지지 않는다. 다만 바윗덩어리가 이 공간의 보이지 않는 부분에서 뻗어 나온 암반의 일부임을, 그리고 그 형상이 화가에게 바위를 보는 새로운 시점을 제공했음을 유추할 수 있을 뿐이다.

세잔이 그린 정물들은 묘사를 위해 그려진 것이 아니므로 테이블 위에 존재한다기보다 화가의 머릿속에 존재하는 사물들이었다. 그는 세상을 보이는 대로 '재현'하지 않고 자신이 경험하고 지각한 대로 '구현'하고자 한 화가였다. 그렇게 제시된 풍경은, 세잔의 그림을 자신의 철학에 일치시켜 읽었던 모리스 메를로-퐁티의 표현에 따르면 "보는 자와 보이는 것이 함께 태어나고 공존하는 세계"다.

나는 화가가 지나쳐 갔다가 다시 돌아와서 바라보았을 암반의 기울어진 벽을 본다. 그리고 왼쪽 바닥에 박혀 있는 조그마한 경계석도 본다. 연회색의 이 경계석은 숲길의 경계를 일러주는 역할을 제대로 할 수 있을까 싶을 정도로 작고 별 볼 일 없지만, 붉은 바위와의 대비 속에서 이상한 안정감과 존재감을 뽐내고 있다. 그리고 전경과 후경의 순서 없이 한 덩어리로 얽혀 있는 나무들은 숲의 대기를 이루고 있다. 나는 움직이지 않은 채로 이 공간을 아주 멀리에서도 보고 아주 가까이에서도 본다.

해그림자가 드리운다. 빛 속에서 그랬듯이, 어둠이 찾아온 뒤에도 이 화폭 위에 생겨난 풍경은 변하지 않을 것이다. 두 개의 돌 사이로, 숲길을 영원히 걸어가는 어떤 사람이 보이는 것만 같다.

바위는 어디에 있는가?
당연한 대답이겠지만,
바위는 세잔의 머릿속에 있다.

3. 전쟁바위

그 작은 남쪽 도시에는 경치 좋은 누각이 하나 있다. 이곳을 찾는 이들은 전투마다 영리한 전술을 펼쳤다고 전해지는 옛 장군의 묘도 좋아하고 소금 양념 생선구이 집들이 내뿜는 연기로 매캐해진 강변도 좋아하지만, 최고의 인기는 누각 한가운데 물에 떠 있는 바위였다. 이 바위에는 원래, 먼 옛날 약탈국의 장군을 끌어안고 강물에 몸을 던졌다는 여인의 이름이 붙여져 있었다.

어른 서넛이 함께 설 만한 크기의 바위는 물 위에 떠 있는 것 치고는 흔들림 없이 튼튼했지만, 뭍으로부터 60센티미터가량 떨어져 있어 아이들이 건너가려면 폴짝 뛰어야 했다. 이름난 분수들이 그러하듯이 이 바위 위에도 소원을 비는 동전이 쌓이곤 했다. 폴짝 건너가기도 버거운 조그마한 아이들은 까치발을 하고 서서 동전을 힘껏 던졌다. 그렇게 해서 바위에다 자신의 소원만이라도 건네 보냈다. 바위로 폴짝 건너갈 수 있는 아이와 그럴 수 없는 아이는 공인된 체급 차이로 구분되기도 했다.

그런데 어느 날부턴가 이러한 구분이 무색해졌다. 바위가 눈에 띄지 않을 정도로 조금씩 조금씩 뭍에서 멀어지더니 아이들은커녕 어른도 건너갈 수 없을 정도로 멀어져 버린 것이다. 잊혔던 전설인 양 새로운 소문이 돌기 시작했다. 바위가 대략 반백 년을 주기로 뭍에서 멀어졌다 가까워지기를 반복하는데, 그 속도가 들쭉날쭉하다는 것이다. 바위가 뭍에 바짝 와 붙을 때면 이 땅에 전쟁이 일어난다고 한 할아버지는 덧붙였다. 과거에 실제로 뭍에 붙은 바위를 목격한 적이 있을 만큼 나이가 많은 할아버지였다. 당시 일어난 전쟁으로 수많은 피난민이 생겼고 나라가 반으로 갈라졌다.

믿어야 할지 말아야 할지 의견이 분분했지만, 그 후로 바위는 전쟁바위로 불리게 되었다. 그 고장 사람들은 너무 멀어져 이제 동전을 던져놓기도 힘들 만큼 뭍과의 거리가 벌어진 전쟁바위가 언제쯤 다시 돌아올지 늘 궁금해한다.

4. 말하는 돌

지금은 사라지고 없는 옛집 책장 제일 아래 칸에는 낡은 동양화 전집이 꽂혀 있었다. 전집의 절반은 인물화고 나머지 절반은 산수화였다. 그림을 한 편의 동화로밖에 여기지 않았던 어린 시절이었다. 나의 눈에는 동양의 산수화가 무척이나 재미있었다. 예쁘고 알록달록한 것이야 인물화 쪽이 나았지만, 산수화에는 이야기로 채워 넣어야 할 공간이 널리고 널렸다.

그림 속에는 산이 있고 계곡이 있고 길고 좁다란 오솔길이 있고,

손톱만 한 크기의 말을 탄 선비나 동자승, 때로는 멱 감는 여인이 있었다. 그 외에는 모든 것이 여백이었다. 떠 가는 구름도, 흐르는 물도, 작은 정자의 내부도, 거대한 바위산 절벽도, 그 꼭대기에 있는 절의 뒤편도.

흰색으로 남겨두지 않고 먹을 찍어 빽빽하게 채워둔 곳도 나의 눈에는 비어 있는 것과 마찬가지였고, 그곳에 아직 없는 인물과 동물과 사건을 상상으로 채워 넣어보는 것은 온전히 나의 몫이었다. 그 풍경을 남종화니 북종화니 하는 분류법으로 다시 배우기 시작할 무렵부터 산수화는 재미없는 그림이 되어버렸다.

산수화가 다시 흥미로워진 것은 오랜 시간이 흐른 뒤 표암 강세황의 괴상한 바위그림을 본 순간이었다. 1757년 강세황이 지금의 개성 지방인 송도의 명승고적을 여행하고 그린《송도기행첩》 중 한 점이다. 계곡의 입구에 거암들이 들어서 있다. 그림의 왼쪽 상단에 적혀 있는 발문의 내용은 다음과 같다.

> "영통동 입구에 난립한 바위들은 어찌나 큰지 집채만 하여 그 바위에는 푸른 이끼들이 끼어 있는데 눈을 깜짝 놀라게 한다. 전해오기로는 못의 밑바닥에서 용이 나왔다고 하지만 믿을 만한 것은 못 된다. 이 넓은 장관은 정말 보기 드문 풍경이다."

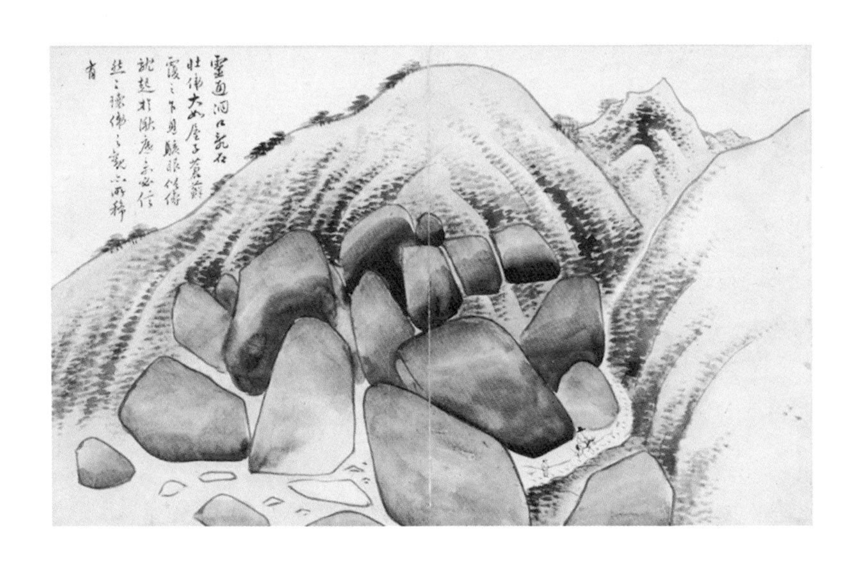

화가가 탄복했을 만하게, 바위의 생김새는 첫눈에 시선을 사로잡는 기이함을 지녔다. 그런데 이 기이함의 근원은 실제 생김새에서 온다기보다는 화가가 그려 넣은 표현법에 있다. 일반적인 준법으로 음영을 표현하지 않고 서구의 원근법을 응용해 만든 농담 변화와 과장된 외곽선은 당시 화풍과 연결되지 않는 참신하고 독자적인 것이었다.

더군다나 바위가 지나칠 정도로 부각되어 있어, 산기슭에 놓여 있거나 박혀 있는 것이 아니라 맹렬히 튀어 오르는 것처럼 보이고, 심지어 허공에 떠 있는 것처럼 보이기도 한다. 바위의 크기와 존재감이 하도 압도적이다 보니, 그 옆 오솔길로 나귀를 타고 가는 강세황 자신과 시종의 모습은 눈을 씻고 찾아야 겨우 보일 정도다. 무언가에 꽂히거나 사로잡혔을 때, 오직 그것밖에 눈에 안 들어오는 상태가 있다. 화가는 아마도 그런 상태로 바위를 그렸을 것이다.

바위는 손도 발도 없지만 무엇보다도 입이 없는 존재다. 나무도 바람결에 속삭이고 냇물도 노래를 흥얼거리건만, 돌은 그저 침묵하는 자연이다. 돌은 지켜보되 말하지 않는다. 그 덕분에 말 이전의 세계로부터 소음이 영혼을 교란하는 현대에 이르기까지 돌은 유일무이하게 믿음직한 증인의 자격을 획득할 수 있었다.

그런데 아마도 강세황은 그날, 이 바위들이 말하는 소리를 들었던 것 같다. 바위들은 앞다투어 존재감을 드러내며 끊임없이 뭐라고 말을 쏟아냈을 것이다. 못 밑바닥에서 꿈틀거리는 용에 관한 이야기를, 혹은 바위가 태어나기도 전부터 산이 품고 있던 신들의 싸움에 관한 이야기 같은 것을 강세황은 들었을 것이다. 나는 압도적인 과장법이 여백의 자리를 대신할 수도 있다는 사실을 알게 되었다. 어떤 그림은 그때 완성된다. 감상자가 나중에 채워 넣을 겨를도 없이, 그림으로부터 이야기가 쏟아져나오는 바로 그 순간에.

가끔, 등산하다 산 중턱에서 무질서한 거암들로 뒤덮인 돌밭을 마주칠 때가 있다. 그때마다 강세황의 바위가 떠오르곤 한다. 볼 때는 기괴한 풍경이라는 생각이 들지만, 집에 돌아와서 카메라에 찍힌 사진을 보면 왜인지 그 기괴함은 대부분 증발하고 남아 있지 않다. 이 바위들은 아무런 말도 하지 않는다. 광학기기가 가진 기록의 힘을 믿고 금세 자리를 떠나버리는 객 앞에서 바위는 굳게 입을 다물고 마는 것이다.

5. 그냥 돌멩이

돌에 관한 내 최초의 기억은 축제의 들뜬 공기 속에 있다. 내가 태어나 자란 고장은 가을이 되면 성대한 축제를 열었다. 휘황찬란한 등불의 행렬과 아침부터 밤까지 계속되는 음악 소리, 골목마다 늘어서서 잡다한 먹을거리를 파는 손수레들은 어린 나의 혼을 쏙 빼놓곤 했다.

구경꾼이 많이 모이는 곳에는 늘 야바위꾼이 있었다. 속사포 같은 말솜씨를 가진 그는 엎어놓은 컵 세 개 중 하나에 작은 돌을 숨기고는, 말만큼이나 빠른 손놀림으로 컵들을 이리저리 움직였다. 돌이 어디에 있는지 용케 알아맞히는 사람은 거의 없었지만, 돌의 행방에 흥미를 잃을 때쯤 야바위꾼이 서비스로 엿가락을 하나씩 내어줬기 때문에 구경꾼들은 자리를 쉬 떠나지 않았다.

나는 세 개의 컵 중 어디에도 돌이 들어 있지 않을 것으로 생각했다가 꼭 어디선가 모습을 드러내는 돌 때문에 번번이 놀랐다. 야바위꾼은 기분이 좋으면 노름을 위해서가 아니라 그냥 재미로 묘기를 보여줄 때도 있었는데, 이번에는 분명히 컵 아래 있던 돌이 감쪽같이 사라지기도 했다. 돌은 미스터리였고 수수께끼였다.

그러다 야바위꾼이 담배를 피우려고 땅바닥에 퍼질러 앉아 쉴 때, 수레 위 베니어판에 덩그러니 놓여 있는 돌을 보게 되었다. 그것은 아무런 특색도 없는, 그냥 아주 작은 돌멩이에 불과했다.

내가 조금 더 쉽게 이해할 수 있고 어렵지 않게 소유할 수도 있는 돌은 몇 걸음 옆의 수레에 있었다. 수염이 덥수룩한 할아버지가 어른 손바닥 반만 한 넓이의 납작한 돌에 물감으로 단순한 꽃 그림을 그려서 팔고 있었다.

그 아마추어 화가의 돌 그림은 건너편 수레에서 팔고 있는 쌀알 목걸이만큼 정교하지도 않고 야바위꾼의 묘기만큼 신기하지도 않았으며 지금 떠올려 보면 조잡하기 이를 데 없는 상품이었다. 하지만 다섯 살 아이의 눈에는 세상에 단 하나밖에 없는 매혹적이고 미적인 사물이었다. 나는 솜사탕이나 딱지 대신 그 돌 그림을 사 모으는 게 좋았다. 중앙에 코스모스나 튤립이 그려진 돌의 위 아래 여백에는 흘려 쓴 필기체로 '믿음 소망 사랑' 따위의 글씨가 적혀 있었다.

몇 살부터 그 돌에 흥미를 잃게 되었는지는 기억나지 않는다. 그러나 욕실 구석에 방치해 뒀던 돌 그림 중 하나가 물감이 거의 씻겨나간 채 덩그러니 놓여 있던 모습은 선명하게 기억난다. 강변에 굴러다니던 돌은 그토록 미적인 사물이 되었다가 어느 순간 아무 의미 없는 돌로 되돌아갔다.

바윗돌 깨뜨려 돌덩이
돌덩이 깨뜨려 돌멩이
돌멩이 깨뜨려 자갈돌
자갈돌 깨뜨려 모래알
랄라 랄랄라 랄랄라

도랑물 모여서 개울물
개울물 모여서 시냇물
시냇물 모여서 큰 강물
큰 강물 모여서 바닷물
랄라 랄랄라 랄랄라

6. 표면 여행

『On The Rocks』(2013)는 사진가 김경태가 2005년부터 2013년까지 수집한 돌을 촬영한 사진집이다. 이 사진들을 처음 보면 우선 사실적인 형상과 실물감에 압도된다. 반들반들하게 윤이 나고

칼같은 선예도를 자랑하는 고해상도 이미지가 출력하고 있는 것은 영락없는 돌 그 자체다. 딸린 배경도 없고 숨겨진 이야기도 없이 선명하게 화면 위에 나타나 있는 각양각색의 돌. 마치 카탈로그 속의 사물처럼 정확하고 아름답다.

그러나 이 카탈로그는 사물을 소개하는 카탈로그가 아니라 개념을 펼쳐 보이는 카탈로그다. 돌이라는 사물의 개념을 시각화하는 작업이라고 해야 할까? 모르긴 몰라도 언어학자 소쉬르가 본다면 틀림없이 우리 뇌 속에 내장된 돌의 이미지 모음, 즉 돌의 개념 사전을 보여주는 예라고 일컬을 만하다. 따라서 어느 계곡, 어느 산에서 어떤 연유로 돌을 줍게 되었는지 그 개별적인 배경은 작가에게 중요치 않은 듯 보인다. 그가 촬영한 것은 엄밀히 말하자면 돌이 아니라 돌의 이미지이기 때문이다.

그런데 조금 더 바라보고 있으면, 이 이미지들이 우리의 머릿속에 있는 돌과도 다르다는 사실을 깨닫게 된다. 돌은 돌인데 어딘가 이상하다. 그림자도 없고, 익숙한 원근법도 구현되어 있지 않다. 마주하고 있는 것은 완벽히 2차원으로 평면화된 돌이다. 김경태의 돌 사진이 보여주는 것은 돌의 형상이 아니다. 우리가 진짜로 보고 있는 것, 눈앞에 포착된 대상은 바로 돌의 표면인 것이다.

이미지의 표면에 천착하는 사진가들 가운데서도 김경태는 본다는 행위의 의미를 정면으로 다루는 작가다. 배경도 서사도 동반하지 않는 그의 사물들은 우리가 보고 있는 것이 사물인지, 그것의 개념적 이미지인지, 아니면 인화지 위에 묻어 있는 염료의 화학적 결과물인지 묻게 한다. 쉽게 답하기는 어렵지만, 여태껏 돌의 표면을 이렇게나 정색하고 쳐다본 적이 없었다는 사실만은 분명한 것 같다.

작가는 접사로 여러 장의 사진을 촬영하고 초점이 맞는 부분들만 합성해 한 장의 이미지를 만드는 포커스 태스킹이라는 기법을 주로 사용한다. 그래서 사진에는 흐린 부분도, 생략된 부분도 없다.

그런데 사진 속의 돌은 여전히 낯설다. 실제 크기도 가늠할 수 없고, 출신 성분을 짐작할 수도 없다. 실제로는 5센티미터도 안 되는 작은 돌멩이들인데 사뭇 거대해 보이기도 한다. 크기를 모호하게 만드는 것은 익숙한 사물을 낯설게 만드는 효과적인 방식 중 하나다. 김경태의 또 다른 작업 〈Brass Hex Nut〉(2016) 시리즈는 이 효과의 극적인 사례다. 끽해야 2센티미터에 불과한 볼트와 너트의 이미지를 2미터가 넘는 거대한 지면에 확대 출력한 것이다. 덕분에 맨눈으로 볼 수 없는 미세한 스크래치까지 보게 되지만,

정밀한 재현이 초래하는 것은 오히려 대상을 비현실적으로 만드는 낯섦이다.

요컨대 대상을 정확하게 보여준다는 것이 단순히 사실적인 시각 정보를 제공하는 것을 뜻하지는 않는다. 오히려 이미지에 있어서 '사실적'인 것은 무엇일까를 되묻는 일이다. 카메라가 발명된 이후 인간의 시각은 확장되었다고 여겨져 왔지만, 광학 기술과 그 앞에 드러난 낯선 이미지는 우리 눈과 관습적 시각의 한계를 여실히 보여준다. 김경태의 돌 사진도 비슷한 경험을 선사한다. 그런데 바로 그때, 또 다른 지각의 문이 열린다. 소용돌이치는 파도, 오로라, 밤하늘, 번개, 카오스, 용암, 블랙홀… 돌의 표면을 보며 우리는 지난 시각 경험 속 어디선가 만난 적 있는 대상들을 떠올린다.

그러고 보니 이 연작 사진의 제목인 'On The Rocks'는 직역하면 '바위 위에'지만, 영어 관용구로는 글라스에 얼음을 두세 개 넣어 그 위에 술을 따르는 것을 뜻하는 말이기도 하다. 이 표현을 처음 생각해 낸 어느 술꾼의 눈에는 위스키를 바위 위로 들이붓는 것처럼 보였던 모양이다. 얼음 한 조각을 바위의 스케일로 확대해서 보는 것, 이 또한 공간에 대한 유연한 상상력의 일환이었을 것이다.

우리의 시선은 김경태가 촬영한 돌의 표면을 통해서 돌을 처음

보듯이 본다. 그 안에는 어떤 사실들이 숨어 있다. 각각의 돌이 경험한 세월은 켜켜이 축적되어 빽빽한 시간의 숲을 이루고 있다. 우리는 뚜렷한 목적 없이 돌의 입자 위를 걷는 탐험가가 된다. 마치 가택연금 동안 자신의 익숙한 방 한 칸을 구석구석 묘사하는 책을 써 보았던 어느 18세기 작가처럼, 우리는 이 또렷한 이미지의 프레임에 감금된 채 그동안 흔하게 보아 온 돌의 얼굴 구석구석에 다시 시선을 던질 것을 요청받는다.

우리는 기꺼이 유랑한다. 자신의 전면을 가감 없이 드러내고 있는 돌이라는 표면을. 이 탐험의 궤적은 일상의 돌을 무채색의 패턴과 점·선·면으로 이루어진 기하학적 도상으로, 그리고 다시금 광물로서의 돌 자체로 환원시키면서, 돌이 익명으로 남아 있는 한 비밀에 부쳐질 수많은 정보를 대면하게 한다. 돌이었고, 돌이며, 돌이 될 어떤 시간대가 보인다. 암호 같은 무늬와 입자의 규칙과 서로 다른 색채의 온도와 밀도가 보인다. 우리는 그것을 해독할 수는 없지만 음미하고 사랑할 수는 있다.

7. 돌이 떠 있는 동안

물수제비를 잘 뜨는 사람에게 비결을 물어보면 하나같이 같은 대답이 돌아온다. 바로 좋은 돌을 골라야 한다는 것이다. 모나지 않고 둥그스름하지만 가장자리가 날씬하게 생긴 것일수록 좋다. 잘 고른 돌은 물의 장막을 가볍게 스치며 예닐곱 번, 아홉 번, 많게는 십여 번 이상 수면에서 튀어 올라 낮은 비행을 이어간다.

그런데 이 진기한 볼거리의 대미는 사실 그 마지막에 있다. 제아무리 날쌔게 물 위를 뜀박질하던 돌이라도 어느 순간에는 결국 똑같은 포즈를 취하며 물속으로 퐁당 가라앉고 마는 것이다. 이 재능 있는 단거리 수영 선수가 사람이라면 손사래를 치며 수면 위로 젖은 머리를 내밀 테지만, 돌은 결코 다시 떠오르는 법이 없다.

물살을 가르며 재빨리 움직일 때는 얼핏 물방개나 작은 물고기처럼 보이기도 했던 돌이 중력의 힘에 갑자기 무너지듯 수장될 때, 돌은 비로소 돌이 된다.

8. 꿈꾸는 돌

한 장의 풍경 사진이 있다. 풀밭에 나무가 한 그루 서 있고 그 아래로 행인이 쉬어가기에 적당한 크기의 바위 하나가 엎드려 있다. 평범한 나무, 평범한 돌이다. 캡션을 읽지 않고 걸음을 재촉한 성급한 관람객은 이 사진이 제시하는 것이 단순하고 평범한 자연의 풍경이라고 오해하고 말 것이다.

그런데 작품의 제목은 나무가 꿈에 사람이 되어 자신이 찍힌 사진을 발견했다고 서술하고 있다. 제목에 등장하는 '사진'이 이 액자 속 사진이라고 가정한다면 자신의 사진을 바라보고 있을 나무의 위치는 액자 앞이 되고, 그 자리는 관람객의 위치와 일치한다. 디에고 벨라스케스가 〈시녀들〉(1656)에서 화가의 위치와 모델의 위치에 삼중으로 겹쳐 보여주었던 바로 그 관람객의 자리, 현존하는 부재의 자리 말이다.

작품이 펼쳐놓은 수수께끼의 무대에 자기 자신이 포함되는 순간 관람객은 그저 구경하듯 작품을 감상할 수는 없게 된다. 짧고 강렬한 충격에 일련의 의문들이 뒤따른다.

내가 사람으로 변한 나무란 말인가? 제목에 따르면 나무가 사람으로 변신한 것은 꿈속의 일이므로 액자 앞에서 사진을 바라보고 있는 관람객도 여전히 꿈속에 있다는 얘기가 되는데, 그렇다면 전시장이 꿈이고 액자 속 풍경이 현실일까? 나는 이 꿈에서 깨어난다면 다시 나무로 돌아가게 될 것인가? 그 나무는 어디에 존재하는가? 풀밭에? 아니면 벽에 걸린 사진 속에? 전시를 보고 있는 관람객의 시공간이 일순간 알쏭달쏭해진다.

내가
나무의 꿈을 꾼 것인가?
나무가
나라는 인간이 되는 꿈을 꾸고 있는 것인가?

장자의 나비 우화가 떠오르지 않을 수 없는 작품이지만, 장자의 꿈에서와 달리 나무의 꿈에는 엑스트라가 있다. 사실 이

작품은 나무를 찍은 사진 외에도 몇 점의 오브제가 함께 구성된 설치작품이다.* 전시장에는 작은 탁자가 있다. 탁자 위에는 선풍기가 있고, 맞은편 벽에는 그 탁자를 찍은 또 다른 사진이 있다. 바닥에는 인공 바위가 하나 놓여 있다. 아마도 첫 번째 사진 속에 나무와 함께 등장한 그 바위를 암시하는 오브제일 것이다.

나무와 마찬가지로 사람이 변신한 것이 틀림없을 돌과 탁자는 각기 사진과 짝을 이루고 있어서, 사진으로만 존재하는 나무의 빈자리를 관람객의 존재로 채울 수밖에 없다는 엉뚱한 논리를 완성시켜 주는 것처럼 보인다.

짝이 없는 물건은 또 있다. 탁자 위의 선풍기다. 선풍기는 왜 돌이나 나무, 탁자와 달리 사진 속에 없는지 의아해진다. 막무가내로 추정해 보자면 아직 변신한 적이 없기 때문일 수도 있겠고, 아니면 자연으로부터 온 것이 아닌 공산품이기 때문일 수도 있겠다. 어쨌거나 나무의 입장으로 봤을 때 분명히 확인할 수 있는 건, 꿈속에도 현실 속에도 돌이라는 엑스트라가 존재한다는 점이다.

* 이 작품이 실제로 전시되었던 1998년 타이베이 비엔날레 《욕망의 장소》의 설치 전경에 관해서는 『Kim Bum』(사무소 펴냄, 2010) 중 정도련의 「김범:개론」에 묘사된 설명을 참조했다.

수수께끼투성이인 작품 바깥으로 나와서 생각해 보면, 나무가 시들고 메말라 한 줌 흙으로 돌아간 이후에도 바위는 여전히 바위로 남아 있을 것이다.

꿈에 사람이 된 나무인 나는 곰곰 생각해 본다. 내 변신의 비밀을 알고 있는 유일한 목격자는 나의 친구인 저 바위가 아닐지. 그러나 바위 역시 또 다른 차원에서 꿈을 꾸고 있는 중은 아닐지. 바위도 나도 다른 존재가 꾸는 꿈인 것은 아닐지. 그러고 보면 잘 기억나지 않는 간밤의 꿈속에서, 혹은 꾸고 싶지만 꿔지지 않는 꿈속에서, 우리는 늘 우리 자신이 아닌 누군가였다.

돌이 등장하는 김범의 다른 작품 〈자신이 새라고 배운 돌〉(2010)에서, 돌은 이제 조연이 아닌 주연으로 등장한다. 영상 속에서 한 조류학자가 돌을 앉혀 놓고 기나긴 강연을 한다. 돌은 새의 습성과 생태에 관해 배운다. 돌이 실제로 조류학자의 말을 들을 수 없다는 사실을 알면서도, 나는 돌이 도대체 이 상황을 어떻게 받아들일 것인가를 궁금해하며 작품 곁을 맴돈다.

영상이 플레이되는 모니터 옆에는 그 교육의 결과를 보여주는 듯한 설치물이 놓여 있는데, 비스듬한 나뭇가지 위에 돌이 올라앉아 있다. 아닌 게 아니라, 돌은 자신을 새라 믿어 의심치 않게 된 듯하다.

달리 보면, 새를 흉내 내 어설프게 나무에 매달려 보기는 했는데 정체성의 혼란으로 어리둥절해하고 있는 것처럼 보인다. 그러나 여기서 터무니없는 의심과 혼란에 휘말린 것은 정말로 돌인가? 아니면 이 모든 생각을 떠안게 된 관객인가?

제목 짓기에 대해 말해보자. 김범의 작품에서 제목은 작품을 설명하거나 암시하는 수준이 아니라 작품의 일부로서 작품을 완성하고, 따라서 작품의 핵심 요소인 경우가 많다. 그가 전시장에 데려다 놓는 사물들은 늘 어떠한 역할로 '둔갑'한 상태인데, 그 둔갑은 사물의 형태나 물성의 변화에 의한 것이 아니라 바로 이 역할 부여에 의한 것이다.

김범의 가장 유머러스한 작품 중 하나로 꼽을 수 있는 〈라디오 모양의 다리미, 다리미 모양의 주전자, 주전자 모양의 라디오〉(2002)는 물건의 내부를 개조해 실제로 기능을 바꾼 것이지만 그 뒤바뀜의 핵심은 형상의 특질을 수식어로 전락시키고 개념의 본질을 헷갈리게 만드는 말장난, 즉 제목 붙이기에 있다고 할 수 있다. 그래서 우리는 굳이 작품에 손을 대어 작동시켜 보지 않고도 이 작품의 아이러니를 알아챌 수가 있는 것이다.

김범의 작품에는 사물이 자주 등장하는데, 그중에서도 특히

돌이 자주 등장한다. 작가는 돌에게 엉뚱한 정체성을 주입시키기도 하고, 정지용의 시를 가르치기도 한다. 아마도 돌의 완고한 물성이 그 아이러니를 완성시키는 것일 테다. 이 차갑고 딱딱한 무생물은 세상에 존재하는 모든 사물 가운데 가장 비인간적인 사물이라고 보아도 무방하다. 꿈에서 깨어나 의문에 사로잡히고 미몽의 상태에서 벗어나는 존재로서 이 사물이 갖는 드라마틱한 효과는 그래서 극대화된다.

돌을 비롯해 김범이 사용하는 모든 사물은 무대 위에 선 연극의 주인공과 같은 존재다. 이들은 고유명사로 된 이름을 갖고 있지는 않지만, 지극히 구체적인 역할과 정체성을 부여받고 천연덕스럽게 변신해 있는 중이다.

중요한 사실은, 사물이 그러한 배역을 맡는 터무니없는 상황을 상상이나 지시문이 아닌 '현상'으로서 목격하는 일은 오직 미술에서밖에 일어날 수 없다는 점이다. 여기서 작품은 단순한 의인화의 놀이를 넘어선다.

더군다나 새가 된 돌은 전시가 끝난 뒤에도 돌로 되돌아가지 않는다. 생각해 보라. 그것이 배역에 불과했다는 사실을 돌이 무슨 수로 알겠는가?

쓴다는 것, 그것은 침묵을 이름하는 것이고, 글쓰기를 삼가면서 글을 쓰는 것이다. 예술은 '잠언집'이 우리에게 말하고 있는 사원을 닮았다. 집은 결코 그렇게 쉽게 세워지지 않았다. 돌 하나하나에 불경스런 비문이 새겨지고, 너무도 깊이 새겨진 그 불경스러움은 사원보다 더 오래 남아, 사원보다 더 신성하게 되리라. 예술은 이렇게 불안과 기쁨의 장소이고, 불만과 안심의 장소이다. 예술이 지니는 한 이름, 그것은 자기파괴, 끝없는 해체이고, 예술이 지니는 또 다른 이름, 그것은 행복과 영원이다.

9. 주먹도끼

스탠리 큐브릭의 SF 영화 〈2001: 스페이스 오디세이〉(1968) 도입부에 등장하는 뼈다귀 시퀀스는 인류 문명의 기원을 묘사한 시도들 가운데 단연 압권이다. 짐승의 뼈를 가지고 놀던 한 유인원은 그것으로 다른 동물을 제압할 수 있다는 사실을 우연히 발견한다. 인류가 처음으로 도구를 사용하는 장면이다. 뼈는 도구가 되기도 하고 무기가 되기도 한다. 유인원은 하늘을 향해 있는 힘껏 뼈다귀를 던져올린다. 높이 솟아올랐다가 중력에 의해 지상으로 내려온 뼈다귀는 갑자기 다음 컷에서 달의 궤도로 진입하고 있는 우주선으로 변한다. 이 놀라운 전환 장면은 문명의 발전과 미지의 탐험으로 이어지는 인류의 거대한 욕망이 모두 뼈다귀 하나로부터 출발했음을 1초 만에 압축적으로 보여준다.

A STANLEY KUBRICK PRODUCTION
The Ultimate Trip.
2001
A SPACE ODYSSEY

땅에서 손을 완전히 거두어 올려 두 발로 다닐 줄 알게 된 우리의 직계 조상은 이제 돌을 이용할 줄도 알게 되었다. 처음에는 어두운 굴속의 암반에다 이튿날 사냥해야 할 짐승의 그림을 그리거나, 작은 돌을 쪼개고 다듬어 도구로 만들어 썼다. 최초의 '맥가이버 칼'인 주먹도끼 말이다. 그들은 주먹도끼를 170만 년 동안이나 일상 도구로 사용했다. 실용적이지 않은 이유로 돌을 만진 것은 더 나중의 일이다.

물론, 이 주먹도끼 중 일부가 필요 이상으로 신경 써서 가공되었다는 사실도 간과하면 안 된다. 후대 사람들은 도구적 기능을 넘어서는 정교한 마감과 완벽에 가까운 좌우대칭을 자랑하는 주먹도끼를 더러 발굴하곤 했다. 템스강 언저리에서 발견된 50만 년 전의 주먹도끼는 길이가 지나치게 길어 실용적인 도구로 사용하기에는 적절치 않았을 거라고 한다. 이렇게 공들인 가공품이 나타나자, 주먹도끼가 능력을 과시해 이성에게 잘 보이려는 노력의 산물이기도 했을 거라는 가설이 성립했다. 이것이 '섹시한 주먹도끼' 이론이다.

그러나 진화심리학의 단순한 논리만으로 지금은 사라져 버린 인류의 속내를 다 헤아리기란 어려운 일이다. 어쩌면 다른 짐작도 가능하다. 언어 체계와 미적 감수성이 한 단계 발전한 지적 혁명이 아직 일어나기 전이라 해도, 쓸데없는 것에 집착하는 괴짜가 그때도 몇 명쯤은 있었으리라. 몇 시간, 혹은 며칠 동안 돌 하나를 붙들고 쪼그려 앉아 이리 쪼개고 저리 쪼개느라 땀을 흘렸을 어떤 사람을 상상해 보자. 처음에는 그저 내일 쓸 도구를 만들 요량으로, 한쪽은 쥐기 쉽도록 뭉툭하게 다듬고 반대쪽은 가죽을 벗기거나 풀을 캐거나 땅을 팔 수 있도록 뾰족하게 깎아나갔을 것이다.

그러다 어느 순간 자신의 손 안에 있는 돌이 물방울의 모습을, 혹은 나뭇잎의 형상을 닮아가기 시작했을 때, 그의 손은 마법에 이끌리듯 바삐 움직인다. 최대한 반듯한 모양을 내기 위해 열과 성을 기울인다. 그에게 돌의 모양을 대칭형으로 다듬는 것은 멈출 수 없는 과제가 되어버렸고, 완성 말고는 아무런 목적이 없었으며, 그 무용한 일을 끝내고 난 뒤 이루 말할 수 없이 '좋은 기분'을 느꼈던 것이 아니라고, 우리가 어떻게 단정할 수 있겠는가? 그때나 지금이나, 진정한 미지의 세계는 지구의 외부가 아니라 인간의 내면에 있다.

10. 닮은 돌

왕은 늙도록 슬하에 아들이 없었다. 부부는 아들을 점지해 달라고 몇백 일 동안 정성을 다해 제사를 올렸다. 그러던 어느 날 말을 타고 가다 작은 마을에 이르렀는데, 말이 갑자기 큰 돌 앞에 서더니 눈물을 흘리는 게 아닌가? 이상히 여겨 돌 밑을 들추어 보니 그곳에 금빛으로 빛나는 개구리 형상의 어린아이가 있었다. 왕은 기뻐하며 이 아이를 아들로 삼아 고이 길렀다고 한다.

동부여 금와왕의 탄생 설화다. 그러나 마음만 먹으면 세계 각지에서 수백 가지 버저의 비슷한 설화들을 찾아볼 수 있다. 아이로 변하는 것은 금빛 개구리일 수도 있고 동자석일 수도 있고 종이 인형일 수도 있다. 공통된 점은 큰 돌이나 기암괴석이 아들을 얻는 신묘한 비밀의 열쇠라는 것이다. 그래서 옛날부터 자식이 없는 사람들은 자연물 중에서도 특히 영험한 바위에 기원을 바치곤 했다.

영험하다고 여겨지는 바위들은 크기가 거대하거나 생김새가 기괴한 때도 있지만 남성의 성기를 닮은 경우가 많다. 무언가의

형상을 닮아 있는 돌 가운데 가장 빈번하게 나타나는 것이 이 남근석일 것이다. 아무래도 남우세스러워 보는 이의 웃음을 자아내거나 얼굴을 붉히게도 하지만, 어떤 이에게는 치성을 드려야 할 성스러운 숭배의 대상이다.

성기를 닮은 자연물이 생명체를 탄생시키는 신비한 힘을 지니고 있다는 원초적 믿음은 동서고금을 막론하고 공통으로 나타나는 현상이다. 민속학자 제임스 프레이저는 주술과 종교의 기원을 밝힌 책 『황금가지』에서 '닮은 것은 닮은 것을 낳는다'라는 유사의 법칙이 주술의 기초가 되는 원리라고 했다. 주술사가 적의 형상을 모방한 인형을 만들고 침을 찔러 그 상대를 다치고 병들게 하는 것과 마찬가지로, 사람들은 이미지의 유사성을 통해 자신이 원하는 바를 이룰 수 있으리라 믿어온 것이다.

옛날에는 아들을 낳으면 새끼줄에 붉은 고추를 엮어 집 앞에 매달았다. 고추는 남자의 성기를 닮았다. 그뿐인가? 홍합은 여성의 성기를 닮았다. 호두는 인간의 뇌를 닮았다. 콩팥은 콩과 팥을 닮았다. 이러한 사실들은 모두 우연의 일치일 뿐이지만 인간은 이 우연을 섭리의 일종으로 진지하게 수용한다. 먹고 마시는 일부터 금지하고 숭배하는 일, 무생물을 향해 생명의 잉태를 도와달라고 비는 기복 행위에 이르기까지, 그 범주도 너무나 다양하다. 남근석은 이렇게 '닮은꼴'을 신뢰하는 인간의 본능과 욕망이 가장 통속적으로 반영된 이미지다.

몇 년간 돌을 주된 모티브 삼아 영상, 회화, 설치 등으로 변주해 오던 미술가 임영주는 2016년 『괴석력』이라는 재미있는 책을 썼다. 이 책은 초등학교 저학년용 자연과학 교과서의 목차와 편집 스타일을 차용하고 있다. 그러면서 실제로는 교과서에 담을 수 없을 법한, 돌에 관한 온갖 초자연적 현상과 비과학적 정보들을 나열한다. 이 내용의 바탕에 깔린 기본 전제는, 돌에는 에너지가 담겨 있어서 그 에너지가 다른 물질로 전파되거나 사람과 공간에 영향을 줄 수 있다는 사실이다.

책의 첫 단원에 등장하는 것은 해돋이 명소로 사랑받는 강원도 동해시의 촛대바위다. 길쭉하게 홀로 솟아올라 있는 이 바위도 촛대 혹은 남근을 떠올리게 하는 닮은꼴 돌인데, 해마다 1월 1일이면 새해 소원을 빌러 온 이들로 북적인다. 작가의 일출 답사 후기에 따르면, 촛대바위를 사진에 담을 적에 바위 끝 정중앙에 해가 걸리도록 해서 초에 불이 켜진 듯한 장면을 연출하는 것이 '촛불 밝히기' 또는 '해꽂이'라는 은어로 불리는 최고의 구도라고 한다.

해꽂이 구도는 어떻게 보면 태양에 합일된 자연의 성스러운 느낌을, 또 어떻게 보면 여성의 음부와 남성의 성기가 결합하는 형상을 보는 듯한 야릇한 느낌을 주는데, 이러한 연상작용은 책의 뒷장에서 미래빌 아파트의 풍수지리적 명당 구도에 관한 에피소드로 연결된다. 돌의 에너지가 사람은 물론 땅값에까지 영향을 미친다는 이야기는 과장이 아닌 현실이다.

괴석의 에너지가 사람들의 마음을 왜 이렇게 사로잡는가 하는 것이 작가의 첫 번째 관심사라면, 두 번째 관심은 매체적 특성 쪽으로 뻗어가 또 다른 차원의 닮은꼴 찾기 게임으로 발전한다. 작가는 사람들이 찍은 촛대바위 이미지를 모아 놓고 보다가, 화면의 중앙에 있는 대상을 집중적으로 클로즈업하거나 위에서 아래로 훑듯이 쓸어내리는 카메라의 시선이 야동의 앵글과 흡사하다는 사실을 발견한다.

손안의 스마트폰과 터치스크린, 야동의 대중화와 같은 미디어 환경의 변화가 인간의 미의식을 변화시켰다는 것이 작가의 해석이다. 임영주의 비디오 작품 〈애동〉(2015)은 실제로 야동의 앵글을 흉내 내어 가정용 캠코더로 촛대바위를 촬영한 영상이다. 자극적인 효과음처럼 무한 반복되어 깔리는 애국가의 첫 소절과 함께, 촛대바위는 기원의 대상에서 욕망의 대상으로 슬그머니 변신하는 듯하다.

제 1 장

돌과 에너지

▼ 2015. 8. 5 일출 06시-일몰 21시

20

21

이렇게 하나의 바위 앞에서 여러 차례 사고를 전환하면서 임영주는 우리가 흔히 알고 있던 '믿음'이라는 얄팍한 단어의 껍질을 벗기고 그 내부를 살핀다. 책이 들려주는 이야기들만 놓고 보면 인간은 정말 이상한 존재다. 괴석 앞에서 간절한 기도를 올리는가 하면, 운석과 사금을 찾으러 전국 팔도를 돌아다니는 사람도 있다. 범상치 않은 돌 한 개를 발견하기 위해 산과 계곡을 헤매기도 한다. 뜻하지 않게 아름다운 돌은 그들의 눈에 '요정님'을 닮았다. 요물에 사로잡히듯이 사람들은 돌을 갈망한다. 그리고 모든 짝사랑이 그렇듯이, 그 갈망에는 애잔한 면이 있다.

『괴석력』을 한 문장으로 말하자면 비상식적인 믿음과 그 체험에 대한 안내서다. 근대 이후 종교적 경험이 줄어들면서 인간의 믿음이 설 자리를 잃은 것처럼 보이지만, 그런데도 여전히 원시 신앙이 현현하는 곳이 있다면 '보편적 물질' 속에서가 아닐지 이 작업은 묻는다. 결국 성과 속의 이미지를 함께 수반하는 돌이야말로 그에 적합한 거처다. 돌은 미신을 미신으로만 남겨두지 않는다. 돌은 미신을 믿는 사람들에게 기꺼이 어떤 것이든 제공한다. 보고 싶은 형상을, 가고 싶은 길을, 목적을, 취미를, 꿈을, 신앙을, 시작과 끝을.

『괴석력』에는 아침 해가 수면을 물들이며 떠오를 때 그 형상이

헬라어 알파벳의 맨 끝 글자인 '오메가'를 닮았다는 설명이 나온다. 문득 성경 한 구절이 떠오른다. 요한계시록 1장 8절에서 하나님은 말씀하셨다.

나는 알파이자 오메가니라.
처음과 나중이요, 시작과 끝이니라.

그런데 따지고 보면 하나님의 창조물인 돌이야말로 하나님 못지않게, 아니 어쩌면 하나님보다 훨씬 더, 알파이자 오메가 같은 존재가 아니겠냐는 생각이 든다. 있는 자이며, 있었던 자이며, 또한 늘 오고 있는 자. 전지전능한 에너지를 가졌으며 영원성을 지닌 자. 그것이 돌이다. 하나님이 들으면 썩 좋아할 말은 아니지만 어쩌겠는가. 자신을 닮은 것을 만들려는 본능에 가장 먼저 충실했던 자가 바로 하나님 자신이었던 것을.

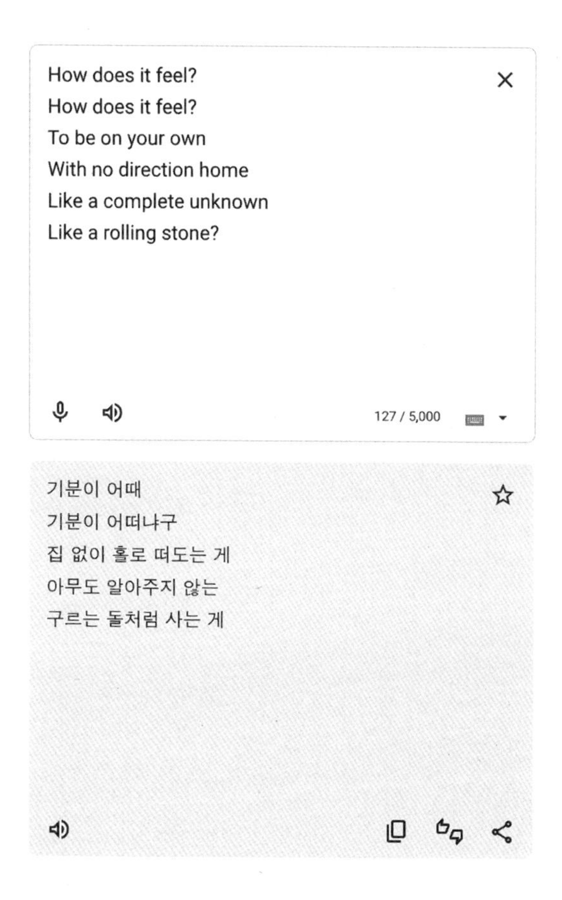
How does it feel?
How does it feel?
To be on your own
With no direction home
Like a complete unknown
Like a rolling stone?
127 / 5,000
기분이 어때
기분이 어떠냐구
집 없이 홀로 떠도는 게
아무도 알아주지 않는
구르는 돌처럼 사는 게

11. 얼굴 I

한 사람이 살아가면서 마주하는 얼굴의 총합은 경험의 총합과 얼마나 다를까? 눈과 코와 입. 기하학의 차원에서 보면 아주 미세한 크기와 각도의 차이일 뿐인데, 얼굴은 저마다 다르게 보이고 또 그토록 다른 감정과 이야기를 품고 있으니 신기한 일이다. 막스 피카르트에 따르면, 산에 사는 사람의 얼굴에는 산의 모습이, 바다에 사는 사람의 얼굴에는 바다의 모습이 뚜렷이 새겨져 있다고 한다. 풍경은 인간의 얼굴 속에 자기 자신의 유적을 가지고 있다는 것이다.

그런 점에서 우리가 가만히 앉은 채로 스크린을 통해 현실의 경험치를 넘어서는 무수한 타인의 얼굴을 볼 수 있다는 것은 놀랍고도 고마운 일이다. 영화 〈붉은 대기〉(1977)를 생각해 보면, 크리스 마커는 바로 그 얼굴들의 세계를 빌어 혁명의 풍경을 그리고 싶었던 것 같다. 1960년대에서 1970년대 사이에 베트남, 헝가리, 쿠바, 볼리비아 등 세계 각지에서 일어난 혁명을 기록한 이 영화는 다른 다큐멘터리 제작자들이 사용하지 않고 버린 B컷 필름들을 모아 편집한 영화다. 원제*가 암시하듯이, 이 영화는 존재하는 듯하지만 존재하지 않고, 없는 듯하지만 아직 완전히 사라지지 않은 어떤 기운으로서 사회주의 혁명을 바라본다.

* 창원대학교 신동규 사학과 교수의 설명에 따르면, '붉은 대기'라는 한국어 제목은 오역이다. 원제인 'Le fond de l'air est rouge(공기에 붉은 기운이 있다)'라는 문장은 'Le fond de l'air est frais(공기에 찬 기운이 있다)'라는 프랑스어 표현에서 한 단어만 바꾼 일종의 말장난이라고 한다. 감독에게 혁명이란 계절이 바뀔 무렵 느껴질 듯 말 듯 하게 남아 있는 찬 기운 같은 것이었던 모양이다. 그런 점에서, 『이상한 나라의 앨리스』에 나오는 체셔 고양이를 암시하는 영어판 제목 'A grin without a cat(고양이 없는 웃음)'은 의역이지만 맥락상 더 정확한 번역인 셈이다.

이 영화에는 헤아릴 수 없이 많은 얼굴이 등장한다. 독재자들의 얼굴, 베트콩을 향해 미사일을 떨어트리고 웃음을 짓는 미군 조종사의 얼굴, 피델 카스트로의 젊은 시절 얼굴, 살아 있는 체 게바라의 얼굴, 죽은 체 게바라의 얼굴, 거리에서 손을 번쩍 들어 올리고 구호를 외치는 청년들의 얼굴, 입을 굳게 다문 노인의 얼굴, 데모를 하는 아빠를 바라보는 아이의 얼굴……

거기에는 어떤 의도도 메시지도 없다. 조작되지 않은 시선과 반응, 시간의 틈을 메우는 서로 다른 기억의 흔적들만 존재한다. 마커는 혁명이란 그토록 불균질한 것이라는 사실을 불균질한 얼굴들의 집합을 통해 보여주었다.

그의 영화들은 다큐멘터리에 기반을 두고 있지만 현실을 재현하는 것을 목표로 하지 않는다. 굳이 말하자면 시간의 정직성을 믿기보다는 의심하는 쪽이다. 마커가 유일하게 믿고 신뢰하는 것이 있다면 처음 만나는 얼굴이지 않았을까. 그는 세계를 돌아다니며 이름 없는 얼굴들을 집요하게 촬영했다. 그러고는 그 살갗 뒤의 심연을 우리도 빤히 들여다보도록 종용한다. 여객선 선실에 누워 잠든 사람들의 옆얼굴에서 전쟁터의 시쳇더미가 떠오를 때까지. 골목길 밤 고양이의 깜빡임 없는 눈동자에서 본 적도 없는 미래 저항군의 눈동자가 떠오를 때까지.

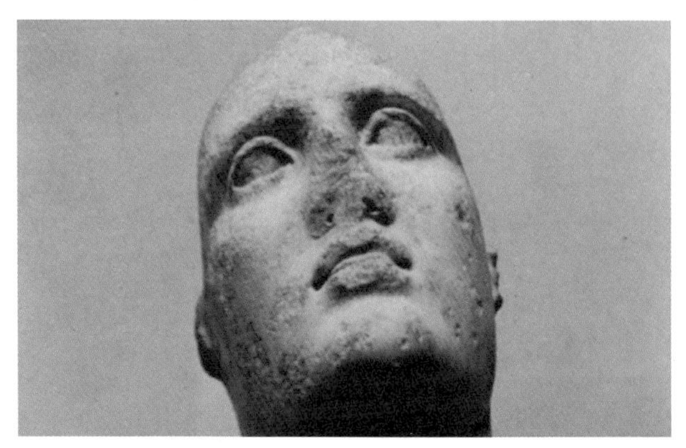

마커의 또 다른 영화 〈방파제〉(1962)는 제3차 세계대전을 다룬 한 편의 시와 같은 SF 영화다. 이 영화는 전체가 스틸 이미지로 이루어져 있는데, 움직이는 화면이 딱 한 번 등장한다. 주인공이 사랑하는 여자의 잠든 얼굴이다. 어슴푸레한 흑백 화면, 잠에서 깨어난 여자는 얼굴에 엷은 미소를 띤다. 눈꺼풀을 천천히 깜빡인다. 이 얼굴은 영화에 등장하는 실패한 시대의 석상들과 묘한 대비를 이룬다. 나는 길어야 5초에 불과한 이 유일한 움직임이 사랑과 평화의 희귀함을 묘사한 이미지라고 생각했다. 이 이미지는 연약해서 금세 사라지거나 변해버리는 속성을 지녔다. 반면에 돌로 박제할 수 있는 개념들, 가령 정의, 자유, 법과 질서, 때로는 좌절된 혁명, 이런 것들은 흠집이 날지라도 조금 더 오래 지속될 수가 있고, 운이 좋다면 다음 시대에 그 의미를 고쳐 쓸 수도 있다. 사람들이 자꾸만 석상을 만드는 것은 아마도 그래서일 것이다.

12. 얼굴 II

이 사진은 어느 해안가 모퉁이에서 찍은 것이다. 관광지로 이름난 해변에는 인어의 모습을 한 석상이 더러 모습을 보이곤 한다. 흔히 인어는 바다를 향해 가슴을 풀어헤친 서구형 미인으로 조각된다. 본 적도 없는 인어를 그런 모습으로 시각화하는 문화는 인간의 조야한 감수성이 낳은 결과이지만, 어쨌든 사람들은 그 형상이 바다의 아름다움과 신비를 상징한다고 여기는 것 같다.

이 인어 석상은 이례적으로 바다를 향하고 있지 않다. 석상의 앞쪽은 버려진 밭인데, 반대쪽의 개인 소유 농막에서 들어가는 좁은 입구를 제외하고는 둘레가 막혀 있어서, 아무리 애를 써도 석상의 얼굴을 제대로 볼 수가 없다. 그래서 이것은 내가 돌 이미지를 촬영하고 수집한 이래로 갖게 된 유일한 '석상의 뒷모습' 사진이기도 하다.

누가 어떤 연유에서 이 인어 석상을 만들었으며 왜 바다에 등을 돌린 채로 앉혀 놓은 것인지 알 수는 없지만, 얼굴을 볼 수 없다는 점이 이 석상을 진정한 인어의 이미지에 조금 가까워지게 만드는 것 같다. 어떤 얼굴은 눈앞에 존재하지 않을 때만 존재한다.

13. 얼굴 III

비밀 하나.

자세히 보면 모든 돌은 당신의 얼굴과 조금씩 닮아 있다.

14. 얼굴 IV

DU PONT

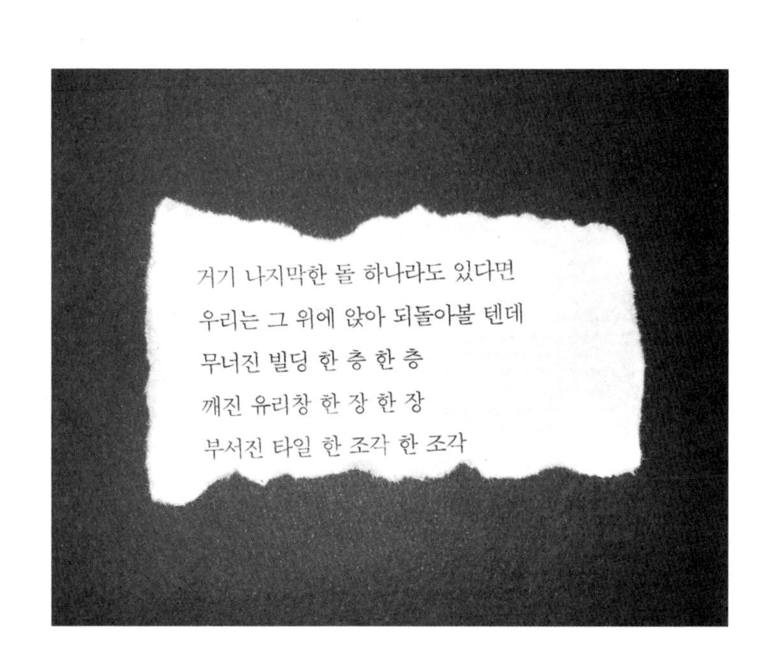
거기 나지막한 돌 하나라도 있다면
우리는 그 위에 앉아 되돌아볼 텐데
무너진 빌딩 한 층 한 층
깨진 유리창 한 장 한 장
부서진 타일 한 조각 한 조각

15. 자라는 돌

수 세기 전 한 철학자는 말했다. 내일 당장 지구의 종말이 오더라도 오늘 한 그루의 사과나무를 심겠다고. 다행인지 불행인지 종말은 아직 오지 않았지만, 그 선언이 의미를 잃어버린 세상이 도래한 지는 꽤 되었다. 만물에 깃든 신의 섭리나 진정한 자유의지의 문제에 관해 생각하는 일은 이제 우리를 민망하게 만든다. 실은, 말의 쓰임 자체가 달라졌다. 자유라는 단어의 거처는 더 이상 인간 곁에 있지 않고 자본주의라는 단어에 가장 가까이 있는 듯이 보인다. 지하 주차장을 짓거나 차도를 넓히기 위해 수백 년 동안 터를 지켜 온 나무들을 하룻밤에 몽땅 잘라내는 것이 개발의 이름으로 용인되는 시대를 우리는 살고 있다. 숲을 베어낸 자리에 들어서는 콘크리트 숲은 더 이상 충격적인 사건도 되지 못한다. 이런 도시 환경 속에서도 나무를 심는 행위가 여전히 가장 낭만적인 동시에 급진적인 행동 중 하나라고 생각한다면, 누군가는 시대착오적인 일이라고 비웃을지도 모른다.

1982년, 한 예술가는 선언했다.

나는 7,000그루의 떡갈나무를 심을 것이다.

숫자만 봐도 짐작할 수 있다시피, 이 일은 예술가 혼자서 할 수 있는 일은 아니었다. 광장에 첫 삽을 뜬 것은 예술가 자신이었지만 그다음부터는 대중의 관심과 참여로 많은 일이 진행되었다. 나무를 사들이는 비용은 세계 각지로부터 모금되었다. 지구 반대편의 사람들도 나무 한 그루 어치의 기부금을 기꺼이 보내 이 일에 동참했다. 나무를 옮겨 심을 장소를 제공하는 데는 마을 주민, 학교, 유치원, 지역 단체 등이 나섰다.

예술가는 7,000그루째 나무가 심어지는 것을 보지 못하고 1986년 1월 23일 세상을 떠났다. 이듬해, 그의 아들이 삽을 떠 마지막 나무를 심었다.

독일 작가 요셉 보이스의 프로젝트 〈7,000그루의 떡갈나무〉는 그렇게 완성되었다.

요셉 보이스는 조각이라는 매체를 조형물로 제작한 작품에만 국한하지 않으려는 예술가였다. 더욱 본질적인 의미에서 '형성'에 가담하는 모든 창의적 활동을 조각으로 규정하고자, 그는 '사회적 조각'이라는 개념을 주창했다. 이 확장된 미술 개념에 따라 조각은 예술의 존재와 작동 방식 자체를 가리키는 표현으로 쓰였다.
따라서 보이스가 남긴 "모든 사람이 조각가"라는 말은 인간의 삶에 실제로 이바지할 수 있는 사회적 실천에서 대중의 적극적인 참여가 갖는 가능성을 의미했다.

사실 "모든 사람이 OOO" 같은 유형의 말에는 어폐가 있다. 모든 사람이 선생님, 모든 사람이 요리사, 모든 사람이 권력자, 모든 사람이 피해자, 빈칸을 무엇으로 교체해도 성립되는 그러한 캐치프레이즈는 현실 구조 내부의 실질적인 한계를 은폐하고 실낱같은 가능성의 진정한 힘을 되레 희석하는 면이 있다. 그런데 이상하게도 보이스의 신념에는 움직임을 추동하는 힘이 있다. 혹자는 보이스의 이념에 가장 근접한 성공적인 공공미술의 예로 〈7,000그루의 떡갈나무〉를 꼽기도 한다.

사실 이 프로젝트에서 가장 흥미로운 부분은 떡갈나무 묘목을 한 그루 심을 때마다 도시 근교의 돌밭에서 옮겨 온 현무암 덩어리

하나를 곁에 함께 세워둔다는 계획이었다. 보이스의 말을 옮겨적어 보자.

> 7,000그루의 떡갈나무 옆에는 각각 한 개의 돌들이 세워질 것이며, 이로써 최소한 800년을 생존한다고 알려진 떡갈나무의 수명이 다할 때까지 역사적인 순간은 지속될 것이다. 그리고 지금이야말로 노동과 테크놀로지의 개념, 물질주의, 정치적 이데올로기, 산업화, 자본주의 혹은 공산주의란 미명 아래 인간이 취해온 폭력적인 황폐화 과정에서 벗어나 올바른 재생의 과정, 다시 말해, 자연뿐 아니라 사회생태학적인 관점에서 생명을 부여하는 소생의 과정인 '사회적 유기체'를 이끌어 낼 때이다.

그리고 보이스는 덧붙인다.

> 이를 위해 나는 돌을 필요로 한다.

얼핏 보기에 현무암 조각은 나무의 대척점에서 삶과 죽음의 관계를 상징하기 위하여 동원된 것처럼 보인다. 피상적인 차원에서 나무와 돌을 생물 대 무생물, 자연 대 문명의 대비로 읽는 것도 그리무리는 아닐 것이다. 하지만 현무암에 관한 보이스의 관심은 좀 더 구체적이고 사적인 배경에서 출발했다고 할 수 있다.

2차 세계대전 중 독일 공군에 입대해 조종사로 복무하던 보이스가 소련군의 폭격을 맞고 러시아 크리미아반도에 추락했던 에피소드는 널리 알려진 이야기다. 죽음의 문턱에서 그를 살린 것은 타타르족이었다. 그들은 심하게 다친 보이스의 몸에 동물의 지방을 바르고 펠트 담요를 둘러주어 그를 회생시켰다. 이 경험으로 인해 보이스는 지방이나 꿀처럼 액체와 고체를 오가는 유기적인 상태의 재료가 생명력을 상징한다고 여기게 되었다.

지방과 꿀에 이어 현무암도 중요한 물질이 된다. 보이스는 일찍이 제임스 조이스가 묘사한 아일랜드 지방의 화산 지형에서 강렬한 인상을 받았다. 화산의 탄생 과정을 생각해 보면 이 작가가 현무암에 관심을 가진 연유를 이해할 만하다. 온도와 환경 조건에 따라 변화하며 생성되는 물질이기 때문이다. 현무암은 화산에서 분출한 용암이 지표 가까이에서 빠르게 굳어진 돌이다. 현무암질 용암은 먼 거리까지 자유롭게 흘러내리는 경향이 있다. 그래서 넓고 평탄한 암반 대지를 이루기도 하고 기둥 형태와 갈라진 긴 틈으로 이루어진 절벽도 만들어낸다. 액체 상태일 때 이렇게 자유로운 유영을 했던 현무암은 느린 속도로 냉각되기 때문에 돌이 된

이후에도 화강암에 비해 성질이 무르다.

〈7,000그루의 떡갈나무〉를 진행하기 전에 그린 아이디어 스케치를 보면, 돌덩어리는 가루가 되어 땅으로 스며드는 것처럼 보인다. 요셉 보이스는 세월이 지나 현무암이 비바람에 깎이고 부서져도 그냥 소멸하는 것이 아니라 풍요로운 대지의 일부가 된다고 여겼다. 이 생각을 따라가 보면 돌은 겉으로는 차갑고 딱딱해 보이지만 보이는 것처럼 죽어 있다고 할 수 없다. 겨울을 지나 봄으로, 대지에서 뻗어 나와 대지로 돌아가는 재생과 순환의 속성 또한 나무에만 깃들어 있다고 말할 수는 없다. 현무암은 그 자체로 잠재적 성장의 상징이었을 뿐 아니라, 당시 독일의 실패한 도시 삼림화 계획에 대안을 제시하는 사물로 거듭나게 되었다.

프로젝트가 시작할 당시에는 이를 마을의 주차장 자리나 꿰차는 쓸모없는 사업으로 간주했던 주민들도, 돌이 하나씩 옮겨지고 나무가 점차 늘어나는 모습을 지켜보면서 이 프로젝트의 의미를 이해하기 시작했다. 그리고 30여 년이 지난 지금, 7,000그루의 나무들은 꽤 울창한 녹음을 이루었다고 한다. 그 나무와 돌 곁을 상상으로 걸으며, 예술가가 남긴 '시대착오적'인 선언을 다시 한번 떠올려본다.

금세기에 할 수 있는 유일하게 의미 있는 일은
나무를 심고 돌에 구멍을 뚫는 일이다.
우리는 이 일을 그만두지 않을 것이다.*

* 보이스의 말은 《Gespr ä che mit Beuys》(Altenberg&Oberhuber, 1983) / 송혜영, 「요셉 보이스의 〈20세기 종말〉」(2010)에서 재인용.

부분적 정의에 불과하겠지만, 예술은 인간의 역사적 기억에 관여하는 행위다. 예술은 어제의 기억을 오늘의 진실에 비추어 복기하고, 내일의 언어로 고쳐 쓰려 한다. 그리고 더 중요하게는, 그 기억을 인류와 나누어 갖고자 한다. 기억을 나누어 갖고 공동의 기억에 대한 공동의 언어를 만들어 나가는 일은 예술이 수행하는 중요한 역할 중 하나다.

그러나 그 역할에 관성적으로 접근하는 태도는 모든 것에 대해 모든 것을 말할 수 있다는 착각에 이바지하기도 한다. 예술을 한다는 것은 그 간편하고 순진한 환상과 수시로 대면하는 일이다. 역사를 소재로 삼는 수많은 예술 중 대부분은 놀라울 만큼 탈역사적이다.

역사와 어깨를 겯고 걷는 매체로서 예술이 할 수 있는 일은 생각보다 많지 않다. 시대를 가장 잘 반영하고 그 결과 의도적으로든 부지불식간에든 시대의 모순을 첨예하게 드러내는 것은 예술이 아니다. 그것은 언제나 막장 드라마였고, 대중음악의 실패한 노랫말이었다. 동시대의 역사적 기억이 가장 빨리, 그리고 솔직하게 진술되는 곳은 SNS다.

하지만 이것은 전혀 우울한 이야기가 아니다. 오늘날 예술의 본령은 좋은 붓이 되는 것이 아니라 캔버스의 외곽선을 지우는 지우개가 되는 것이기 때문이다. 역사를 기록하는 과정에서 예술적 상상력이 의미를 획득하는 바가 있다면, 그것은 창작물의 주제나 만들어진 창작물 자체가 아니라, 창작의 과정이 역사를 서술하는 언어의 외연을 확장한다는 점에 있다.

기억과 기록 사이에는 어마어마한 심연이 있다. 우리는 이곳에서 저곳으로, 저곳에서 이곳으로 건너가려 한다. 그러나 완고한 사실들의 빙벽 아래로 갈라진 깊은 틈을 마주했을 때, 어떤 태도를 보여야 할지 모른다. 그 틈을 주의 깊게 바라보는 것. 빙하의 지형도 전체를 달리 바라보는 것. 작은 균열과 압력이 일으키는 움직임의 낌새를 알아차리는 것. 이런 것이 아마도 예술의 방식일 것이다.

17. 기억하는 돌

관찰자이자 증언자로서 예술은 때로 언론을 능가할 만한 영향력을 갖는다. 사진의 등장 이래로 정보화와 기술의 진보, 액티비즘과 기록 예술의 유연한 경계는 그 현상을 가속해 주었다. 그러나 어떤 예술은 역사의 현장을 정확하게 기록함으로써 의미 있는 증언이 되기를 포기하고, 기록할 수 있는 것과 기록할 수 없는 것 사이의 틈을 하릴없이 파고드는 쪽을 택하기도 한다.

일본의 미술작가 후지이 히카루는 〈폭격에 대한 기록〉(2016)이라는 작품을 만들면서, 텅 빈 액자들에다 2차 세계대전 당시 일본의 폭격 현장 목록을 정리한 캡션만 달아놓았다. 이 텅 빈 액자가 의미심장하다면 그것은 상상력을 자극하기 때문이 아니라, 이미지의 부재가 그 자체로 표현할 수 있는 고통의 임계를 암시하는 메시지이기 때문이다. 고통의 전시에 익숙해지는 것을 넘어 그 익숙함을 자성하는 것에도 익숙해진 현대인에게 이 작업은 너무 손쉬운 해법일지도 모른다. 그러나 최소한 고통에 대한 즉각적인 연민과 '인과응보' 같은 즉각적인 냉소 중에서 성급히 한쪽을 선택하도록 만들지는 않는다.

비움으로써 채우는 기록의 방식을 고통의 연대라는 측면에서 연구하고 실천한 더 훌륭한 사례가 국내에 있다. 2015년 작고한 정기용 건축가는 생전에 제주도 4.3 평화 공원 설계에 참여하면서 돌로만 이루어진 공원을 구상했다.

아이디어는 아주 단순했다. 완만한 구릉과 오름의 자연적 특성을 그대로 살린 공원 전체 영역에 60센티미터 간격으로 작은 현무암 덩어리를 2만 4천 개 배열하는 것이다. 학살된 2만 4천 명(2002년 당시 추산 집계)의 숫자가 얼마나 어마어마한 인명을 뜻하는 것인지 방문자들이 한순간에 몸으로 알아차릴 수 있도록 말이다.

거대한 기념비나 전형적인 위패 대신 익명의 돌덩어리들로 공원을 조성하자고 제안한 이 설계안은 물론 당선되지 않았다. 그러나 만약 이 계획이 실제로 구현되었다면, 4.3 평화 공원은 참으로 특별한 공간이 되었을 게 틀림없다.

양지바른 오름 산책로 여기저기에 덩그러니 놓인 현무암 덩어리는, 어떻게 보면 이름이 적히지 못한 돌무덤처럼 보이기도 했을 것이다. 사람들은 수많은 돌덩어리가 주는 묵직한 실물의 감각을 통해 희생자의 부재가 현재와 연결되어 있다는 느낌을 받으며 돌 사이를 거닐었을 것이다.

시간이 가면 희생자 집계가 갱신되는 데 따라 현무암 개체는 늘어나야 했을 것이고, 진상 규명은 현재진행형의 사회적 과제로 여겨졌을 것이다. 공원은 박제된 과거를 추모하는 공간이 아니라, 세월 속에서 사건의 의미가 변화할 가능성을 등에 업고 계속해서 살아 움직이는 공간으로 자라났을 것이다.

제주도에서 4.3과 관련하여 건축으로 무엇인가를 한다는 것은 가능한지를 묻는 건축가의 사려 깊은 질문 앞에서, 그 공간은 시간이 좀 걸리는 훌륭한 응답이 되어주었을지도 모른다.

2002 5/6

1 8 . 자 극

제주에는 돌이 많다. 돌하르방도 많고, 돌담과 밭담과 돌집도 많고, 늘어선 묘비와 비석도 많다.

북촌마을에 가면 이름도 없이 묻힌 아기의 돌무덤들을 볼 수 있다. 1949년 1월 17일의 흔적이다. 그날은 한 마을의 주민 400여 명이 한꺼번에 학살을 당한 날이다. 군인들이 트럭을 타고 우르르 몰려온다. 불길이 마을을 휩싼다. 총소리가 울려 퍼진다. 죽은 어미 등에 업힌 아이가 울음을 터뜨린다. 살아남은 사람들은 초등학교 옆으로 끌려간다. 무차별 총살이 시작된다. 너븐숭이. 넓은 쉼터라는 뜻의 이름을 가진 곳이었다.

마을 주변의 옴팡밭에는 시신들이 석 달 넘게 방치되어 있었다. 이듬해 이 밭에 고구마를 심었는데 여기서 자란 고구마는 아이 머리통만 한 크기였다. 그러나 망자의 거름으로 자란 고구마라 하여 배가 고파도 아무도 먹지 않았다고 한다.

서귀포 남원읍에 가면 송령이골이라는 곳이 있다. 이곳에는 토벌대와의 전투에서 사망한 무장대의 시신이 집단 매장되어 있다.

1949년 1월 12일의 흔적이다. 시신들은 당시 학교 옆 밭에 버려져 썩어가다 몇 해가 지나서야 덤불 속에 대강 거두어졌고, 이후 반세기 넘게 방치되었다. 이 시신들을 제대로 묻어주려는 사람은 빨갱이로 몰리던 시절이었다. 2004년 도법스님과 '생명평화 박탈순례단'이 찾아와 천도재를 지낸 뒤에야 비로소 겨우 무덤이라 할 만한 모습이 되었다.

이념의 대립이 몰고 온 피바람은 일반 주민의 목숨도 앗아갔지만, 토벌대도 무장대도 똑같은 역사의 희생양으로 만들었다. 그러나 진실이 제대로 밝혀지지 않은 시대에는 희생의 범주를 제대로 밝히는 것조차 이르게 여겨진다. 사망한 무장대의 유해가 안장되고 작은 비석이나마 모셔진 곳은 제주를 통틀어 이곳밖에 없다고 한다.

북촌마을 당집이 있던 자리에는 제주목사 선정비가 서 있다. 그런데 자세히 보면 동전 크기의 흠집이 몇 개 나 있다. 선명하게 패인 총알 자국이다. 이것은 4.3 사건의 수많은 이미지 가운데에서 내가 가장 이해하기 어려운, 과거의 시간이 너무나 아무렇지도 않은 모습으로 현재에 맞닿아 있는 이미지였다.

양주연의 다큐멘터리 〈옥상자국〉(2015)에도 역사적 사건의 작은 증거로서 총알의 흔적이 등장한다. 고향이 광주인 감독은 할머니로부터 5.18의 이야기를 듣는다. 당시 방 안에 있던 할머니와 가족들은 밖에서 소란이 벌어지고 있다는 사실을 알고 총소리도 들었지만, 사태를 정확히 이해하지는 못했다고 한다. 다만 시민군이나 군인들이나 총을 든 건 매한가지였으며 공포 그 자체였다고 할머니는 회고한다. 옥상까지 넘어 들어온 총알의 자국이 발견된 것은, 아주 많은 시간이 흐른 뒤 옥상 콘크리트 벽을 새로 칠하던 페인트공에 의해서였다.

5.18 최후의 격전지였던 구도청이 있던 자리에는 국제적 문화예술기관을 표방하는 아시아문화전당이 들어섰다. 맞은편 전일빌딩에는 아직도 수많은 총알 자국이 남아 있다. 공간의 육체에 새겨진 흔적은 어긋난 시차처럼 우리 곁에 머문다. 이미 잘 알고 있다고 생각했던 역사적 정보, 외부적으로 학습된 사회적 기억들과는 다른 결로 체험되고 감각된다.

역사가 인간의 과거·현재·미래를 잇는 시간이라는 말은 부정확한 진술이다. 역사적 기억은 언제나 한발 늦게 오기 때문에, 그 시차의 어지럼증을 견디는 것은 지금을 사는 자들만의 몫이다.

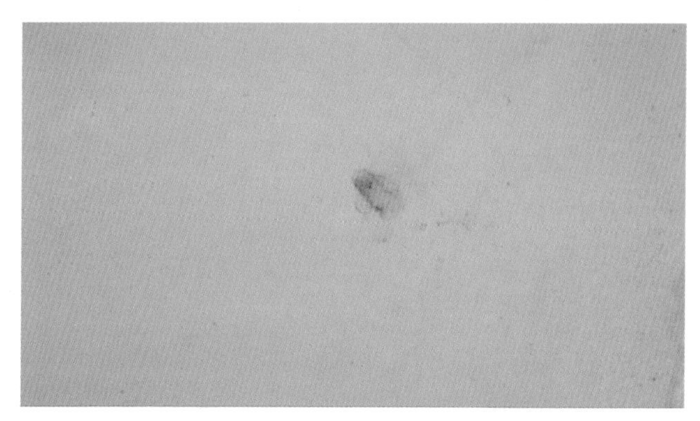

역사적 기억은 툭툭 끊긴 이미지, 정전된 암흑 속에서 깜박깜박 나타났다 사라지는 불빛 같은 것이다. 또는 부정할 수 없는 물리적 상흔으로 남았으나 누구의 총구로부터 겨누어진 것인지 결코 알 수 없는, 돌에 난 희미한 자국 같은 것이다.

19. 바위섬

어느 섬을 여행할 때의 일이다. 섬의 비탈은 가파르기 그지없었다. 여기저기 토막 난 조각 같은 작은 판잣집들이 어깨에 어깨를 겯고 늘어서 있는데, 그 사이를 메꾸지 않으면 와르르 무너져 내리기라도 할 것처럼 주변에는 이름 없는 풀들이 빼곡히 박혀 있었다. 한번 들어온 사람은 나가지를 못하고, 섬을 떠난 사람들은 다시 돌아오지 않는다고 했다.

한 무리의 남자들이 섬의 꼭대기에 있는 돌밭을 향해 걸어가고 있었다. 그들의 어깨 위로 이름을 알 수 없는 죽은 이가 실린 나무 관이 놓여 있었다. 관을 인 상여꾼들의 다리가 무게를 이기지 못하고 휘청거렸다. 그래도 걸음을 멈추는 이는 없었다. 늦가을의 스산한 바람이 그들의 등을 내내 떠밀어 주었다.

이전까지 내가 보아 온 장례 행렬에서는 망자의 사진을 어깨에 걸거나 품에 안고 앞장서 걸어가는 젊은 자식이 있곤 했는데, 고개를 빼고 봐도 그런 사람이 없었다. 사실 이 장례에는 행렬이라 할 것이 없었다. 망자도, 남은 자도 없이, 마치 섬의 시작과 끝이 같듯이, 죽음이 자기 자신을 들쳐업고 가는 느낌이었다.

나는 그들이 도대체 어디에 구멍을 파서 관을 내려놓을지 궁금했지만, 잡초에 발이 묶인 것처럼 따라갈 용기가 나지 않아 멀찌감치서 지켜보기만 했다. 그런데 그들은 어디에도 관을 내려놓지 않고 그냥 섬을 한 바퀴, 두 바퀴, 세 바퀴, 계속해서 돌기만 하는 것이었다. 그토록 작은 섬에서는 죽음조차 숨을 곳이 없었다.

바위섬
배창희 작사
배창희 작곡
김원중 노래
Slow Go Go
mp
C Em F A7
Dm G7 C Em Dm G7
C C Em
파 도 가 부 서 지 는 바 위 섬
밤 폭 풍 우 에 휘 말 려
F A7 Dm G7 C
인 적 없 던 이 곳 에 세 상 사 람 들 하 나
모 두 사 - 라 지 고 남 은 것 은 바 위 섬

Em 1. F D7 G7
들 과 모 여 들 더 니 어 느
2. Dm G7 C C
현 파 도 라 네 바 위 섬 너 는 내 가
f
Em F G7
미 워 도 나 는 너 를 너 무 사 랑 해
C Em F D7
다 시 태 어 나 지 못 해 도 너 를 사 랑 —
G7 C Em F A7
해 이 제 는 갈 매 기 도 떠 나 고 아 무 도 없 지
mp

20. 받아쓰기

2004년 어문각 출판사에서 펴낸 미술가 차학경의 아름다운 산문집 『딕테』의 겉싸개에는 흑백 사진 하나가 인쇄되어 있다. 뉴욕의 타남 출판사에서 1982년 출간했던 초판본과 같은 표지다. 나는 그 사진의 출처가 궁금해서 수소문해 보았지만 이미 오래전 절판된 책인 데다 출판사도 문을 닫아 답을 아는 사람이 없었다.

사진 속에는 사막 같기도 하고 어느 행성의 표면 같기도 한 척박한 땅이 펼쳐져 있다. 그리고 둥그스름한 형태, 피라미드를 연상케 하는 마름모꼴 형태 등 각기 다른 모양과 크기의 돌덩어리가 여기저기 흩어져 있다. 정체를 알 수 없는 미지의 돌들과 그 돌들이 놓여 있는 광막한 공간이 발산하는 슬프고도 평온한 느낌 때문에 나는 그 사진을 좋아했다.

그러다 『딕테』의 원서를 처음 출판했던 뉴욕의 편집자로부터 이메일 한 통을 받고 사진의 정체를 알게 되었다. 그것은 차학경이 어디선가 구한 엽서에 인쇄된 이미지로, 고비사막에 있는 만리장성의 붕괴한 몸체 일부를 찍은 사진이었다. 그토록 수없이 보았는데도, 그 이미지가 만리장성일 거라고는 생각해 보지 못했다.

고비사막의 대부분은 모래가 아닌 암석사막으로 이루어져 있다고 한다. 한쪽에는 초원이 펼쳐져 있지만, 또 다른 쪽에는 풀이 자라지 않는 메마른 암석과 황폐한 사막이 자리하고 있다. 열한 살에 미국으로 이주해 교포로 살면서 디아스포라의 정체성을 내면화했던 차학경은 그 황량한 땅, 폐허로 남은 만리장성, 누구의 고향일 수도 없는 이미지 속에서 무엇을 느꼈을까.

『딕테』를 펼치면 속표지에도 돌 이미지가 하나 있다. 검은 바탕에 하얀 글씨. 돌 같은 딱딱한 표면에 새겨진 글씨를 여러 차례 복사한 것으로 보이는데, 아이가 쓴 것처럼 서툰 필체로 "어머니 보고 싶어요. 배가 고파요. 가고 싶다 고향에"라고 적혀 있다. 이 이미지의 출처에 대해서는 여러 가지 연구가 있는데, 그중 하나는 일제 강점기에 광산으로 끌려간 광부들이 갱도의 벽에 새긴 것이라는 추정이다.

그게 누구였든, 한 사람이 암벽에 새긴 혼잣말은 흐려질 대로 흐려져 원본 없는 이미지로 남았으되, 절망이 희망을 짓누르고 있던 어떤 순간을 생생히 전달하고 있다. 차학경은 모국의 언어로 쓰인 삶을 향한 의지를 그렇게 다시 받아적었다.

'딕테'는 불어로 받아쓰기라는 뜻이다. 외국의 언어를 익히며 자기 안팎의 시선에 대응하기 위해 분투했을 시간이 작가에게 쌓이고 쌓여, 받아적고 쓰는 수행성의 문제를 실험적인 언어로 다루게 했을 것이다. 또한 이 책은 역사가 각기 다른 이유로 지워버렸던 이름들을 자신의 언어로 다시 쓰는 시도였다.

차학경은 유관순, 잔다르크, 바리데기, 성 테레사, 그리고 만주에서 태어나 이주와 실향으로 점철된 수난 시대를 살았던 자신의 어머니 허형순 여사 등 여러 여성의 삶을 차례로 호출한다. 폭력적인 역사 속에 사라져간 익명의 음성들은 미지의 영토에서 몸을 갖고 되살아난다. 차학경이 출처 없는 인용과 계속해서 탈주하는 서사를 통해 시도하는 글쓰기는 하나의 이름으로 존재를 정체화하려는 모든 억압에 저항하는 글쓰기이자, 잊힌 이름들을 호명함으로써 망각하지 않으려는 노력이었다.

글을 쓰고 이미지를 만드는 모든 활동이 실은 어떤 이름들을 받아쓰고, 다시-쓰고, 그 메아리에 응답하는 일이라는 생각이 들 때가 있다. 지금 이 순간에도 어떤 이가 절망 속에서, 죽거나 잊혀버린 친구와 연인, 그리운 가족의 이름을 돌에 새기듯 가슴에 새겨넣고 있을 것이다.

어머니
보고싶어
배가고파요
고향에 가고 싶다

21. 둥근 것들

사무엘 베케트의 대표적인 부조리극 〈고도를 기다리며〉에는 50년 동안이나 누군가를 기다리고 있는 두 부랑자 블라디미르와 에스트라공이 나온다. 이들이 간절히 기다리는 것은 '고도'라는 인물인데, 고도는 작품이 마칠 때까지 끝내 등장하지 않는다. 극의 말미에 등장한 소년 전령은 고도가 오늘은 못 오지만 내일은 반드시 올 거라는 전갈을 전한다.

고도가 누구인지, 왜 그를 기다리는지, 심지어 그가 사람인지 아닌지조차 정확하게 밝혀진 것은 없다. 이 연극이 처음 유럽 이곳저곳에서 상연되었을 때, 상연되는 장소에 따라서 사람마다 고도를 다르게 정의했다는 이야기를 들은 적이 있다. 감옥에 있는 수인들은 출소의 날을, 보육원의 아이들은 가족을, 신을 믿는 이들은 구원의 은총을 고도에 대입했다. 고도는 그야말로 텅 빈 기호였다.

시공간의 물리적 제약 속에서 실행되는 매체인 연극은, 그 특성상 소품의 사용에서도 사물의 상징성에 적극적으로 기댄다. 오래전에 본 어느 아마추어 연극에서는 무대 위에 물 양동이와 두루마리 휴지만 소품으로 나와 있었는데, 배우들은 이 보잘것없는 소품을 매우 솜씨 있게 다른 사물로 변모시켰다. 휴지는 편지가 되었다가 어느 순간 눈이 되기도 했다. 적들을 칼로 베어 죽이는 장면에서는 휴지 몇 토막을 물에 적셔 상대 배우의 몸에다 던졌다. 흠뻑 젖어 달라붙는 휴지와 사위로 튀어 나가는 물방울은 붉은색이 전혀 보이지 않는데도 낭자한 피를 연상케 했다.

상상력을 자극해 이것으로도 읽히고 저것으로도 읽히는 사물 중에 돌만큼 변화무쌍한 것도 없다. 돌이 다른 것으로 읽히기도 하지만, 역으로 다른 것이 돌로 읽히기도 한다. 실제로 나는 돌 이미지를 수집하는 프로젝트를 시작하면서 동굴도 황금도 모래도 모두 돌이라는 범주 안에 넣었다. 지질학적 특성 안에서 본다면 세상 만물이 다 돌의 또 다른 모습이다. 과장의 여유를 조금 더 허락한다면, 동물의 뼛조각이나 식물의 씨앗에서도 세상을 이루는 원초적인 물질의 상징으로서 한 개의 돌을 연상하는 것이 무리는 아닐 것이다.

양혜규의 한 영상 작품을 갤러리에서 봤을 때도 비슷한 느낌이 들었다. 돌이 단 한 번도 등장하지 않는 작품인데도 불구하고, 이 책을 쓰기로 마음먹었을 때 나는 오래전 본 〈전환하는 삼인자〉(2008)를 어렵지 않게 떠올릴 수 있었다.

영상에는 각종 지구본과 여러 형태의 다면체 종이접기 오브제, 투명한 구슬이나 불투명한 구형 등의 이미지가 등장한다. 이들은 대체로 둥근 형태를 한 오브제들이다.

지구본은 지구를 본떠 만든 물건이므로, 남극을 포함한 일곱 개의 대륙과 다섯 개의 바다, 익숙하고도 낯선 지명들, 위도와 경도 따위의 복잡한 수치들을 담고 있다. 이렇게 우리가 거주하고 있는 공간에 대한 구체적인 정보를 제공하(는 것처럼 보이)는 지구본은, 영상에서 그 정보들이 지워진 추상화된 구형으로 천천히 변모한다. 쇠구슬로 변하고, 다시 유리구슬로 변하더니 이내 종이 모형이 되고, 알록달록한 별 모양으로 변하기 시작한 종이 모형은 뾰족한 모서리를 가진 기하학적 다면체가 되기도 한다.

인공적인 물성에도 불구하고 그 오브제들은 내부에 뜨거운 마그마를 품은 돌과 흙으로 이루어진 둥근 행성 지구를, 그리고 지구의 탄생 이래 진행되어 온 지질시대의 기나긴 세월을 생각하게끔 한다.

오브제 이미지들은 차례로 디졸브 되면서 천천히 전환된다. 페이드인-페이드아웃 기법은 주로 시간의 경과를 나타내는 장치이므로, 여기서 이미지의 전개는 지질연대의 전환을 암시하는 것 같은 인상을 주기도 한다. 한 이미지와 다음 이미지 사이의 전환은 보통의 영상에서 사용되는 화면전환에 비하면 꽤 느린 디졸브이지만, 지구의 시간으로서는 굉장히 밀도 높은 압축인 셈이다.

이 효과는 이따금 반복되는 흑백과 컬러의 전환과 더불어, 오랜 시간에 걸쳐 지구에 일어난 변화를 한눈에 들어오는 시각적 개념으로 만든다. 지각의 변동. 문명의 쇠락과 부흥. 지구의 몸에 남겨진 어떤 시대적 전환의 징후들.

우리는 화석에 남은 희미한 흔적이나 바위의 단면만 보고도, 헤아릴 수 없이 긴 세월을 거슬러 올라가 어떤 나라가 한때는 육지였다고, 또는 섬이었다고, 어떤 숲에는 호랑이와 곰이 분명 살았었다고, 이 화산이 백년 뒤에는 다시 폭발할 거라고, 고양이가 집짐승으로 사육되기 시작한 것이 기원전 1만 년 전의 일이라고 얘기할 수 있다.

그러나 이 모든 것이 지구 안에서의 시선과 판단이라는 사실도 우리는 안다. 손안에 주어진 구체적 정보와 과학적 진실 앞에서 내가

보고 듣고 학습한 것들이 내 것 같이 여겨지지 않을 때, 가끔 다른 시야가 필요해진다.

양혜규는 지구를 차라리 울퉁불퉁한 모양의 종이 모형으로 제시한다. 그가 초기 작품에 즐겨 사용했던 종이접기 모형 오브제는 그 속에 겹치고 꺾여진 비가시적 공간들을 담고 있어, 늘 다른 시공간을 상상하게 한다. 그것은 직선의 흐름으로만 읽을 수 없는 시간과 함께 사적으로 새로고침 되는 공간의 기억을 내포한다.

10분 남짓이었다. 나의 몸은 도시 문명과 첨단기술의 현재를 상징하는 매끈한 애플 시네마 디스플레이 모니터 앞에 서 있었지만, 둥근 것들이 순환하는 모습을 바라보는 그 10분가량의 짧은 시간이 나를 작품의 바깥, 화이트큐브 갤러리의 바깥, 도시의 바깥, 반도의 바깥, 이 지구의 바깥 아주 멀리 데려다주었다.

22. 보이는 것과 보이지 않는 것

의사가 내 어깨를 두드릴 때까지 나는 엑스레이 화면에서 눈을 떼지 못하고 있었다. 너무 오랫동안 바라보고 있어서, 눈앞의 이미지가 망막에 각인된 것처럼 고개를 돌려도 희부연 선으로 남았다.

의사는 너석의 배를 약간 문질러 뱃속에서 돌가루가 움직이는 것을 모니터로 보여주었다. 흑과 백의 대비로만 이루어진 그 단순한 이미지 속에서도 돌가루는 지나치게 하얘 보였다. 털로 뒤덮인 내 고양이의 몸통 내부에 축적된 석회질의 잔흔을 광학 장비로 간단히 관찰할 수 있다는 사실이 신기했다. 바깥은 한창 여름인데 너석의 내부는 겨울이었다. 하얀 점들이 1월의 싸락눈처럼 이리저리 흩날렸다.

이후 몇 달간이나 나의 신경은 그 돌가루에 쏠려 있었다. 돌가루를 없애기 위해 이런저런 노력을 기울이면서, 나는 육체의 한 공간을 점유하고 증식하는 어떤 세포들에 관해 생각했다. 뱃속에 침전된 돌가루에 가벼이 비교할 수는 없겠지만, 어디서 왔는지 기원을 알 수 없고 이름도 알 수 없는 혹이나 암세포에 대해서도 생각했다. 인간이 '악할 악'자를 붙여 분류한 그 세포들에는 애당초 악의도, 선의도, 어떤 목적도 없다. 다만 그 발생과 움직임이 눈에 보이지 않고 설사 보인다고 하더라도 이해될 수 없으므로 우리를 두렵게 하는 것이다.

나는 유럽에서 만난 노인들의 울퉁불퉁한 발목도 떠올렸다. 작은 동굴의 천정에서 지하수 방울들이 아주 천천히 흘러내리다 굳어 종유석이 되듯이, 오랜 세월 석회질이 축적된 노인의 두 길쭉한 터널 내부에서는 침식과 중력의 작용이 숨죽여 진행 중이었다. 자신이 온 곳으로 기어코 돌아가려는 그 느리고 고집스러운 석회질 덩어리의 움직임이 나를 슬프게 했다. 병이 들고, 낫고, 늙고, 죽어가는 그 모든 과정에 최상위 포식자로 침투해 육체를 잠식하는 것은, 다름 아닌 인간의 시간이었다.

그 두려움과 다시 대면한 것은, 어마어마한 크기의 돌과 석상이 무더기로 쌓여 있는 어느 공원을 방문했을 때였다. 정확히 말하자면 그 거대한 공간은 내가 느꼈던 두려운 감정의 맹점과 대면하게 해 주었다. 단시간에 지어 올린 집과 일터, 몇 분 만에 수천 개씩 찍어내는 공산품으로 둘러싸인 일상의 세계 속에서는 인간의 시간을, 지구의 시간을 제대로 가늠하기가 어렵다. 이 시간이 얼마나 짧고 속절없는 것인지를 제대로 이해하기 위해서는 천 마디 말보다 한 덩어리의 돌을 바라보는 게 낫다.

이미 스러진 문명 속에서 제 역할을 다 마치고도 지금까지 묵묵히 남아 있는 갖가지 형태의 석상과 석탑, 그리고 의도적으로는 빚어낼 수 없을 뜻 모를 형상의 거대한 돌 속에는 과거가 말없이 잠들어 있다. 그것은 인간의 보잘것없는 손가락으로는 헤아릴 수조차 없을 만큼 긴 세월일 것이다. 깊이도 넓이도 가늠할 수 없이 광막한 시간의 바닷속에서 나는 아주 우연한 순서로 땅에 던져진 한 개의 돌멩이, 한 알의 씨앗이었다. 그렇게 생각하자 이따금 나를 뒤척이게 했던 몇 줌의 두려움이 물 먹은 모래처럼 마음 밑바닥에 가라앉았다.

나는 잠든 고양이의 작은 몸을 바라보았다. 내가 사랑하는 그 육체는 언젠가 시간이 흐르면 한 줌의 재로 돌아가 눈에 보이지 않는 지구의 질료로 돌아갈 것이다. 그러나 따뜻하고 부드러운 핑크빛 배가 목적 없는 돌가루를 감추고서 느린 호흡에 맞추어 나지막이 오르내리는 것을 지켜볼 때, 그 이미지만큼은 습자지 같은 내 영혼에 탁본을 뜬 듯 오래도록 남아 있을 것을 나는 알 수 있었다. 그리하여 한 개의 돌이 모래가 되고 진흙이 다시 돌로 굳어 산을 이루는 하세월이 지난 어느 날, 어디에선가 우리가 다시 만나리라는 사실도 깨닫게 되는 것이었다.

이미지 출처

p9 ©김영글

p17 폴 세잔, 〈붉은 바위〉, 캔버스에 유채, 92×68cm, 1895 | Public Domain / Wikimedia Commons

p23 ©돌베개 / 『답사여행의 길잡이 6』, 한국문화유산답사회 엮음, 돌베개 펴냄, 1996

p27 강세황, 송도기행첩 중 〈영통동구도〉, 종이에 수묵 담채, 32.8×53.4cm, 1757 | Public Domain / Wikimedia Commons

p33 ©김영글

p35 〈돌과 물〉, 윤석중 작사, 전석환 작곡 | 손글씨 : 김영글

p39 김경태, 〈On The Rocks〉 #006, 2013(전체와 세부) | ©김경태

p41 김경태, 〈On The Rocks〉 #049, 2013(전체와 세부) | ©김경태

p47 김범, 〈꿈에 사람이 되어 자신의 사진을 발견한 나무〉, 혼합매체, 가변설치, 1998(세부) | ©김범

p49 김범, 〈꿈에 사람이 되어 자신의 사진을 발견한 나무〉, 혼합매체, 가변설치, 1998(설치전경) | ©김범

p51 김범, 〈자신이 새라고 배운 돌〉, 돌, 나무 탁자, 12인치 모니터에 싱글채널 비디오, 87분 30초, 가변설치, 2010(설치 전경과 스틸 컷) | ©김범(설치사진 : 박명래)

p53 김범, 〈라디오 모양의 다리미, 다리미 모양의 주전자, 주전자 모양의 라디오〉, 혼합매체, 가변설치, 2002 | ©김범

p57 모리스 블랑쇼, 『카프카에서 카프카로』, 이달승 옮김, 그린비 펴냄, 2013(108쪽) | 이미지 가공 : 김영글

p59 ©김영글

p61 〈2001 : 스페이스 오디세이〉 포스터 | ©Silver Ferox Design

p64-65 Public Domain / Wikimedia Commons

p67 ©Jonny Scott Blair(www.northernirishmaninpoland.com)

p71 임영주, 『괴석력』, 도서출판 오뉴월 펴냄, 2016(20-21쪽) | ©임영주

p75 〈Like a Rolling Stone〉, 밥 딜런 작사 작곡 | 이미지 가공 : 김영글

p79 크리스 마커, 〈방파제〉, 28분, 1962(스틸 컷) | ©Chris Marker / Argos Films

p83 ©김영글

p86 출처 미상

p87 ©김영글

p89 ©George Rinhart / Corbis / GettyImages

p91-111 Public Domain / The U.S. National Park Service

p113 ©D.CORSON / Alamy

p115 심보선, 〈거기 나지막한 돌 하나라도 있다면 - 2011년 1월 20일 용산 참사 2주기에 부쳐〉, 『눈앞에 없는 사람』, 문학과지성사 펴냄, 2011(부분) | 이미지 가공 : 김영글

p119, 123 요셉 보이스, 〈7000그루의 떡갈나무〉, 1982-1987 | ©Joseph Beuys / VG Bild-Kunst, Bonn - SACK, Seoul, 2024

p127 2021년 5월 3일 독일 카셀 | ©Swen Pförtner / dpa / Alamy Live News

p133 정기용, 〈제주 4.3 평화공원 설계안〉 모형과 스케치 | ©정기용 / 제공 : 기용건축

p137 ©김영글

p139 양주연, 〈옥상자국〉, 30분, 2015 | ©양주연

p144-145 〈바위섬〉, 배창희 작사 작곡, 김원중 노래 | 중고 악보 스캔

p149 출처 미상 | 차학경, 『딕테』, 김경년 옮김, 어문각 펴냄, 2004(겉표지 사진)

p151 출처 미상 | 차학경, 『딕테』, 김경년 옮김, 어문각 펴냄, 2004(안표지 사진)

p157 양혜규, 〈전환하는 삼인자〉, 30인치 애플 시네마 디스플레이, 이미지 235개, 반복 재생, 68.8×54.3cm, 2008 | ©양혜규 / 제공 : Galerie Barbara Wien, Berlin(사진 : Gunter Lepkowski)

p165 ©김영글

사로잡힌 돌

지은이 김영글
디자인 최진규
펴낸 곳 돛과닻

초판 1쇄 펴낸 날 2024년 1월 31일

ISBN 979-11-986502-1-4 (02660)

돛과닻
이메일 sailandanchor.info@gmail.com
웹사이트 sailandanchor.net
인스타그램 @sailandanchor

이 도서는 한국출판문화산업진흥원의 '2023년 중소출판사 출판콘텐츠 창작 지원 사업'의 일환으로 국민체육진흥기금을 지원받아 제작되었습니다.